U0136397

TAIWAN FROM THE AIR

TAIWAN FROM THE AIR

目錄

PART TWO
樂活魚米 — 探尋台灣土地脈動

PART THREE
深省未來 — 縱覽台灣城鄉百態

一起用行動 愛惜這片土地

推薦序◎鄭崇華 台達電子文教基金會董事長

為了喚起民眾的環境意識，2011年台達電子文教基金會有幸與齊柏林先生合作，打造二十四集空拍環境短片《鳥目台灣》，後續並支持齊先生的空拍電影計畫。經過一年多的拍攝，《鳥目台灣》不但已在公視播出並頗受好評，現更隨著台達基金會的「3D低碳行動電影車」，巡迴全台偏鄉播映傳遞環境教育。空攝影像則在2013年集結成本書出版，電影也將於年底盛大上映。

每次看到齊柏林的影像，總會感受到這片土地上，最美麗的畫面與最殘酷的現實。像《鳥目台灣》裏「重返阿塱壹」短片開始播映時，只要直視螢幕，彷彿就讓人走進台灣最原始的青翠山林，聆聽海浪涮洗南田的卵石海灘，感受這塊土地原初的生命力。

然而相反地，在台灣的高山上，有些非常陡峭的山坡地，種了淺根性的高山蔬菜、高山茶、檳榔樹，還蓋了高密度的旅館建築。當直昇機繞到這些農園、旅館的背後，攝影機所拍到的陡峭山壁，多半已開始塌落，但大多數的人卻對危機視而不見，只紀錄在齊柏林的相機鏡頭裏。

在《鳥目台灣》中，還有許許多多難得一見的畫面。像「綠能革命的火車頭－綠建築」這支短片，本身可說是台灣難得的綠建築集錦。其中所介紹的「成大孫運璿綠建築研究大樓」，這棟由台達基金會參與甚深的零碳綠建築，今年還被英國知名出版社羅得里其（Routledge），選為世界上最綠的四十五棟建築之一，比台灣一般低層辦公建築用電量，節能高達百分之七十三。

影片裏同樣有在八八風災後，由台達捐助重建的那瑪夏民權國小空拍畫面。民權國小在落成之後，幾乎可以說是全台最節能的學校，與台灣平均國小用電量相較，每平方米每年就能節省七十二元的電費；若以民權國小的面積換算，一年節省的電費高達三十一萬元。預計今年增設太陽能發電設備後，民權國小也將成為全台第一座達成「淨零耗能」的校園，全年的發電量將等同全校的用電量，齊柏林也從空中紀錄下這座美麗又節能的校園。

感謝齊柏林與工作團隊，抱著熱愛土地與生態環境的心，長時間認真地用高畫質影像拍下《鳥目台灣》，台達電子文教基金會有幸支持這樁美事，讓大家從空中仔細地往下看台灣這塊土地，不僅感受到台灣之美，也看到了台灣的傷痕。朋友們，讓我們一起來用行動愛惜這片土地！為我們及後代子孫，長久保有這美好的環境。

在這塊土地上，我們的過去、現在與未來

序文一◎齊柏林

這次的空拍影像作品《鳥目台灣》，字面上看來，似乎只是「以某種特定角度看台灣」，但其實這系列的影像更接近的是一個又一個的問題。我想藉著空拍影像所帶來的驚奇、感動或困惑，拋給台灣民眾各種各樣的提問。

關於一個聚落或城市，如何從無到有；關於整片美麗的地貌為何在一夜間變得坑疤而黯然；關於我們可能在歲月中留下哪些記憶場景；關於我們如何能看到、聽到「台灣」的表情與心事……。

這些，都是我在《鳥目台灣》的拍攝過程中，總是在思考的事情。

人們總說，「從另一個角度看事情」，「空拍」或這作品的名字「鳥目」，表面上很符合「另一個角度」的內涵。但更深層的意義是，我們需要的並不只是影像所帶來震撼性的視覺感受，更重要的是，當有了不同的觀看角度，我們也才能獲致不同與以往的認知，這將催促我們前往更深沈的省思與關懷。

《鳥目台灣》的二十四個主題，相信大家多曾親自走訪過，無論是來自書本或是電視節目。然而，「眼見為憑」。空拍影像是行走、行車、google衛星視角所無法呈現的畫面，這時浮現出的故事，會是哪些呢？

空拍對我而言，是在紀錄真實。但也因為如此，這份工作的視野遠遠超過了我作為一個執行者原先的所知。

《鳥目台灣》是我對台灣的所見與提問，同時還醞釀著我對這塊土地的感情和期許。我常會覺得困惑，在我們的社會裡，有那麼多人在努力做環保，但為什麼另一方面，環境破壞的事情仍然層出不窮？

台灣有得天獨厚的天然資源，可我們常毫不珍惜地破壞，這真的很可惜。種種無論是努力捍衛或是掉以輕心的放任破壞，就算人們會遺忘，所有的軌跡卻已被這小島默默承載並紀錄下來。

自然環境是一個循環體，例如台灣的河川污染問題，儘管這議題早受高度重視，污染河川的行為卻從來沒停止過。但如果由「循環體」的概念來看，我們就會明白，放任或製造髒污河水流到大海裡，我們又去吃大海捕來的魚，髒污河水所累積的毒素便會回到我們體內。輕率地對待環境，難免要自食惡果的。

希望我們所屬的這塊土地，能愈來愈美好，要達成這一點，一定要有全民共識。《鳥目台灣》有對這塊土地的驚豔與禮讚，也有警訊；每一格畫面都盡情傾訴著它的心緒，全部連結起來，就是我們在這塊土地上的過去、現在與未來。

齊柏林 Chi, Po–Lin

1990年起服務公職後，開始負責在空中拍攝台灣各項重大工程的興建過程。此後，便長期從空中紀錄台灣的地景至今。

- 從事空中攝影超過20年
- 空中攝影飛行時數：近2000小時
- 累積超過40萬張空拍照片

經歷

2004	榮獲第一屆Johnnie Walker「The Keep Walking FUND 夢想資助計畫」大獎
	天下雜誌「夢想300 迎接陽光世代」專題人物
2005	獲奧比斯（ORBIS）基金會邀請擔任《眼科飛行醫院》新疆飛行任務代言人
2010	空拍台灣電影紀錄片計畫主持人
2011	TEDxTaipei 「齊柏林-台灣空拍家園」
2012	Google紀錄片 「齊柏林：高空捕捉台灣之美」

著作

1998	「飛覽台灣紀事」空中攝影筆記書（攝影）
	「從太空看家園」空中攝影作品合輯（攝影）
1999	「上天下地看家園」空中攝影專輯（攝影）
2000	「台灣土地故事」空中攝影作品合輯（攝影）
2001	「台灣飛覽」空中攝影專輯
2004	「飛閱台灣新動脈」國道3號第二高速公路全線空中攝影專輯（攝影）
	「飛閱台灣 Our Land Our Story」空中攝影專輯
	「悲歌美麗島」空中攝影專輯（攝影）
2006	「從空中看台灣」齊柏林空中攝影專輯
2007	中華顧問工程司「匠心台灣」空中攝影專輯（攝影）
	「動容」國道5號北宜高速公路空中攝影專輯（攝影）
	行政院客委會「從空中閱讀六堆」空中攝影專輯（攝影）
2008	經典雜誌「台灣脈動」空中攝影作品合輯（攝影）
	「飛行澎湖」空中攝影多媒體專輯
2010	財團法人中興工程顧問社「中興工程40周年成果專輯」（攝影）
	台灣世曦工程顧問股份有限公司「精塑台灣」（攝影）
2011	行政院農業委員會林務局「一切，因為造山」（攝影）

得獎作品

2010	財團法人公共電視文化事業基金會
	「飛台灣。Free Your Mind短片」空拍影像授權案
	獲2011年金鐘獎頻道廣告獎
2012	內政部營建署
	「飛閱台灣國家公園空拍影片」
	獲美國第46屆休士頓世界影展（46th WorldFest-Houston）金牌獎

近年參與、執行計畫

2004	國立自然科學博物館「台灣土地故事」空中攝影展
2005	行政院文建會「山的呼喚－台灣土地故事」空中攝影展
	台北101「文化饗宴」空中攝影展
	行政院文建會「台灣在望 Taïwan en vue」空中攝影展
	臺灣博物館「千面福爾摩沙—臺灣的自然與傳統特展」空中攝影展
2008	天使美術館「寶島魅力」空中攝影展
	EPSON台灣愛普生「飛行寶島」齊柏林飛閱台灣攝影展
2009	「看見台灣」電影紀錄片計畫發起人
2010	「正負2度C飛閱台灣」空中攝影展覽
	臺北市政府「2010台北國際花卉博覽會空中攝影案」空中攝影
	交通部觀光局「旅行台灣．感動100宣導廣告影片」空中攝影
	財團法人公共電視文化事業基金會「飛台灣。Free Your Mind短片」空中攝影
	經濟部南部科學工業園區管理局「99年度台南園區及高雄園區空中數位攝影及拍照採購案」空中攝影
	台灣世曦工程顧問股份有限公司「臺鐵南迴線鐵路電氣化綜合規劃-空中攝影專業技術服務案」
	南投縣政府「南投縣簡介紀錄片企劃及製作」
	行政院文建會「建國100年跨年煙火空中實況拍攝」
	台灣世曦工程顧問股份有限公司「台灣世曦企業形象簡介（影片、書面）製作委託服務」
2011	法國公共電視「澎湖空中攝影」
	交通部觀光局「感動100大鵬灣國際帆船邀請賽空中攝影 」
	國立中興大學「大梨山地區空中攝影案」空中攝影
	高雄市政府「高雄市更新及重要發展地區空中攝影案」空中攝影
	國慶籌備委員會「建國百年國慶典禮空拍案」空中實況拍攝
	行政院文建會「建國百年形象廣告」空中攝影
	日本NHK「世界名峰偉大山岳-令人著迷的溪谷 台灣．玉山溯溪探險節目」玉山空拍
2012	台灣高速鐵路股份有限公司「台灣高速鐵路列車空中動態攝影案」
	台灣高速鐵路股份有限公司「101年度台灣高速鐵路沿線站區、基地以及周圍景觀高空平面攝影計畫」
	「鳥目台灣」空拍台灣紀錄短片系列
	臺灣科學教育館「飛閱台灣空拍環境影像展」
	Google紀錄片 「齊柏林：高空捕捉台灣之美」
	SONY高畫質 Internet TV電視廣告 - 新視界篇
	內政部營建署「飛閱台灣國家公園」影片
2013	高雄市政府都市發展局「高雄市重要發展地區空中攝影案」空中攝影

序文二◎劉克襄

從接近上帝的位置看台灣

從高空俯瞰，台灣更加立體，也更加具象了。

由這個新的視角，每一個我們所熟悉的景點，都精彩地展現了不同於以往的壯麗與奇美。只是，很不幸地，生態環境的劇烈變遷，以及開發建設所帶來的破壞和污染，一樣畢露無遺。

站在這一最接近上帝的位置，不免讓人驚歎，是什麼樣的福氣，老天賜給我們一塊生物多樣的璀璨島嶼？但又不免感傷，是什麼樣的時空因素，我們竟把一塊土地弄得面目全非？

百年前，台北盆地遭逢嚴重的颱風和洪水肆虐，飛行機剛好發明，當時即試著以飛行空拍的紀錄，了解地貌的變遷，重新測繪市街。百年後的今天，時代科技更加進步，我們更清楚空中攝影的奧妙和精髓，可以幫助大家看到愈為全貌的台灣。

針對晚近遭逢的各種生態環境問題，我們結合各方一時之選，籌組了一支以空拍為主的影像團隊，進行長時紀錄。經由多番討論，分別就台灣的人文旅遊、地方產業、城鄉發展，慎選出二十四個足以反映現狀的主題。

從2011年起，空中生態攝影家齊柏林即不時搭乘直昇機，浩蕩地展開長時空拍。同時結合公視地面團隊的精心攝影，以及後製的編劇、剪接、配樂和旁白，悉心地全面觀照。每一集三、四分鐘的影片，不僅環繞主題的核心報導和分析，同時試圖規劃一個具有宏觀視野的美好未來。

鳥目，展現了空拍的美學視野，同時也藉此犀利角度，讓大家由高空的位置，更清楚地認識台灣。鳥目台灣，也不只是驚豔自己家園的美麗，或者是看到我們的環境出了什麼問題。還希望透過大視角大場景的土地紀錄，引發國人更為深層地關懷和反省。

從空中鳥瞰和站在地面遠眺的家園，其實是一樣的，但不一樣的高度和角度，勢必帶來不一樣的思考，甚至找到答案。希望這一系列的影像報導，能夠帶出此一啟發，在不同的領域和階層開花結果。

文字作者｜劉克襄｜作家、生態保育工作者，曾任職報社編輯多年。年輕時以鳥類生態為散文題材，嚐試開拓台灣自然寫作的風氣。在多年的創作過程裡，不斷嚐試各種自然寫作文體和題材的試驗，大至地理文史的論述，小及昆蟲花草的研究，都曾潛心著墨。近年來創作主題多以小鎮旅遊、蔬果保育為主。晚近多於港台各地大學駐校和訪問，帶領學生走訪在地風土。曾出版詩集、散文、小說和自然旅遊指南等著作三十餘部。晚近較具代表性作品為《十五顆小行星》、《11元的鐵道旅行》、《男人的菜市場》和《裡台灣》。

久釀風華

品 賞 台 灣 人 文 地 景

台灣以山林勝景和豐饒物產屢遭覬覦，從荷蘭、西班牙的進領，到日本的設治，在歷史洪流中命運乖舛，卻也激盪出多元風格的文化蘊涵，當我們隨著時代巨輪快速行進的同時，偶而放慢一下腳步，回顧故鄉的角落、檢視生活的周遭，或許仍會驚訝的發現，其實生活中還有更多精彩與感動，絲毫不因歲月的流逝而褪色，一直等待著我們去發掘、去感受。

01 桐花祭

Vernicia Season

五月雪——桐花祭

◎劉克襄

每年春末，油桐花總是準時綻放。從土城以降到苗栗火炎山一帶的丘陵，放眼望去，猶如一夜白雪，四處鋪滿。

油桐是四季分明的植物，百年前從嶺南引進台灣後，集中在中北部山區廣泛栽種，主要取其籽提煉桐油。秋天油桐籽成熟了，農民開始忙著採收，孩童們也會三倆結伴去撿拾。油桐籽收集愈多，當然可以賣得好價錢，早年它是油漆的重要原料，用途相當廣泛；油桐生長快速，還可做家俱、木屐和火柴棒等；更是造紙的理想材料。但隨著化工合成物的發明，桐油的功能幾乎被取代，農民不得不放棄油桐籽的採收，任其遍野漫生，油桐花逐漸成為自然美景的主角。

大抵是晚近十多年，北二高暢通，小鎮生態旅遊興盛後延伸出來的觀光節慶，如今五月客家桐花祭愈辦愈熱鬧，從桐花美學的意象裡延伸出許多精緻的相關產品，更帶動龐大的觀光產值，可說是近年來最成功的文化創意產業。感懷過去物質匱乏的艱苦生活，珍惜自然資源的得來不易，何妨適當的在節慶裡更為著墨。

一個花祭的成功，若能時時回到最原本的初衷，提醒遊客簡單生活的價值，相信桐花祭更能帶出感人的深度意涵。

古人說的「踏花歸去馬蹄香」是怎樣一番況味呢？每年，當春天走到最末，盛夏即將開啟，只要走一趟客家庄，你也會沐浴在這樣一個滿滿清香的意境之中。漫天飛落的雪白花瓣，為整叢整山的綠，覆蓋上這屬於五月的桐花雪景。

我們說的桐花，即是油桐樹開出的花，桐花在三月時抽芽，四月下旬到五月上旬是最盛開時候。此時雌雄花進行授粉，當授粉完成，桐花便掉落，就是人們看到的落花繽紛景象。花期約介於清明到穀雨之間盛開，關於開花時節與農作季節，有句話是這麼說的：「窮人莫聽富人哄，桐子開花才下種」。

油桐，一種稱三年桐，另一種木油桐則稱千年桐，都是日治時期由「圖南產業株式會社」首次引進台灣，當年著眼的是軍事與民生用途。油桐栽植地區主要為南投、高雄和屏東等山地保留地，還有台中東勢、嘉義交力坪一帶為多；木油桐則面積更廣，全台有超過六千公頃以上，以苗栗南庄、獅潭、三灣、三義最多，在台北、新竹、台中、南投、宜蘭和花蓮等地也可見到。

其中有著大面積桐樹林的苗栗地區，近年來有客家委員會及多個民間單位推廣桐花之美，這陣五月雪不但儼然成為客家族群的象徵物，每年「桐花季」的氣息，也成為台灣民眾的期待。

02 台南 Tainan

初訪府城的人，經常被錯綜複雜的街道弄得混淆。其實它是由五個圓環延伸出去的，主要以民生綠園為中心點，周遭分別為北門、西門、小西門和火車站，這些圓環都以幹道相連，形成放射狀的組合。

從日治時期，這一個城市的發展脈絡，跟海邊以安平古堡為中心的老城區遙相呼應著，形成今天老台南的重要肌理。五個圓環放射出去的城市線條，不僅打破了一般城市方格子街道的格局，還形成大大小小的蜿蜒巷弄，蘊育了台南古都的街景美學，在這些無法快速來去的巷弄，轉個彎，或許撞見滄桑的古老廟寺坐落；下個路口，可能是某一傾圮的典雅廢屋；更有可能是一處舊屋重建或改造的老房，形成新的人文空間或藝術場域。這樣某種歷史的不完整存在或者拼貼，卻又連接現代符號的美好內涵，總是隱藏在這些巷弄裡，等著你一路慢慢的發現。

這等彎來曲去的街景也透露了在台南並不適合搭乘任何交通工具，最適合的方法是走路，走近古老的建築，也走進蜿蜒的巷弄，才能走入這個台灣京都的核心。

台南不僅是孔廟、赤崁樓、安平古堡所展露的恢宏，以及三百多年明鄭以來的滄桑歷史，或者是肉燥飯、擔仔麵、虱目魚這類讓人眷戀難忘的世界級小吃，更精彩的或許是這種市井小民生活於巷弄和菜市間的從容，一邊結合美食和古蹟，一邊展露一個老城市的自信。再完整的旅遊指南或美食情報都無法透露這種府城況味。那也是外地無法只靠旅遊理解的，你必須在那兒生活一段，才能深刻體會。

台灣的京都——台南

◎劉克襄

「一府，二鹿，三艋舺」，這裡的「府」指的就是台南。十七世紀清朝派劉銘傳來台，最初在台南設台灣府；雖然隨後將省會遷至台北，但台南作為「全台首府」的印象深植人心，直到今天人們仍留用「府城」一稱。

台南是台灣開發最早的地區之一，無論是軍事上作為發號施令中心，或擁有全台最高文教中心的府學，都透露它的特殊地位。

台南的故事，必須從台江說起。台江內海曾是台灣盛極一時的貿易港，安平港和台江成為人們的經商根據地，帶動當地的繁榮。台江淤積後，海岸線推移，庶民與經濟活動最活絡之處也慢慢移到由政府和當時最大的三家商號（並稱「三郊」）共同疏濬出的幾條港道，從北到南分別為新港、澙港、佛頭港、南勢港、南河港和安海港，即「五條港」，這區塊在往後兩百多年，掌握了台南城的貿易命脈，也決定主要的人文景觀。

聚集在五條港區的貿易商群，讓台南長年以來作為台灣最大經貿區與百貨集散地，是台灣最大也最熱鬧的城市。後因安平港淤積，經濟優勢不再，再加上長久不再是政治中心，台南的風華遂集中在依舊傲人且無可被取代的歷史和文化之上。

這座老城擁有五十餘個列級古蹟，梭行其中，每一條巷弄、每一棟老房子，都訴說層層疊疊、無盡綿延的故事，既是關於城市的繁華身世，也關於島嶼歷經轉折的心事。

03

老車站

Old Train Station

永遠活著的老車站

◎劉克襄

台灣的鐵道歷經百年營運，重要的城鎮大抵是靠著車站而逐漸繁榮，不過為了未來發展，好些也都拆遷，改建成現今的新穎樣貌。最鮮明的例子莫過於交通最忙碌的台北車站，還有充滿現代都會風景的板橋車站；但也有好些日治時期典雅的歐式建築完整的保留下來， 諸如台中車站、新竹車站，繼續雍容的坐落於城市的中心，繼續扮演重要的交通樞紐。

而最特殊的例子莫過於高雄車站。為了配合城市的三鐵共構，遷移了兩百公尺變成鐵道博物館，不再負擔營運的功能。以前都會裡的老車站往往是一個城市最熱鬧的中心點，集中了城市最繁華的商圈，車站前也會闢成噴泉圓環或廣場，讓車輛有很好的進出動線，街道也呈扇狀幅射出去，擴展城鎮的熱鬧。古意盎然的老車站更有磁鐵般的魅力，彷彿把城市的歷史都凝聚在自己的裡面，任憑繁華的街景如何改變，火車不斷載著遊客南來北往，它繼續沉浸在過去的歲月，儼然給人緩慢生活的提示。

除了都會地區，偏遠靜寂的鄉鎮也有一些檜木的老車站，喜歡旅行的人最愛探訪。新埔、大山或集集等，站房甚小，卻常帶出一種流浪、荒涼和孤獨的美好氛圍。

有些小站更拜地名之賜，諸如「永保安康」、「追分成功」，加上車站本身建築的古樸風味，如今都成為國人耳熟能詳的觀光景點。我們的鄉鎮擁有各類古蹟建築 ，但隨著時間變遷，似乎都靜止在某一個位置。唯有老車站，因為交通功能，似乎仍是活著的歷史，跟我們一起繼續生活。唯有老車站，因為一起生活過，很多人對它也最有情感，繼續視為生命裡不可或缺的記憶。

台灣，曾經是一個到處有火車、遍地是鐵路的「鐵道王國」，在這塊土地長大的人們，有自己難忘的鐵道回憶，鐵道和我們的日常生活、生命不同階段，密不可分。除了是個人的鄉愁，也早已是本土文化的一部分。

隨著社會的進步，更為通達的公路網取代了手押軌道、更具機動性的客運班車讓糖鐵客運不復可見、林業政策決定了林鐵的拆除。還能如何留住那與庶民生活曾是如此無法切割的「鐵枝路情結」，就表現在這些年來的鐵道文化保存運動中。

除了黑頭仔、五分車、白鐵仔光華號等火車的保存，鐵道建築的保存也是重點任務，包括火車站、橋樑隧道、號誌樓、車庫、鐵路倉庫。全台灣的火車站體方面，受文資法保護的約有三十多個。

九〇年代，台鐵一度想拆出西部各大老車站作為商業開發使用，民間社團串連起來，才讓許多美麗的經典老車站得以留存下來，包括古典堂皇的台中車站、線條簡潔的嘉義車站、雕琢華麗的台南車站，有著中央鐘塔的氣派新竹車站，與當時還沒遷移的高雄車站。建築體本身外，月台等附屬建構讓建築更有脈絡性，比如火車站月台的鐵鑄骨架等細節，可都是相當有看頭的呢！

不過，保存的工作正是與時間的百米賽跑，例如木造崎頂站、岡山車站，都因許多現實因素的考量而消失了。

04

九份

Jiou Fen

努力尋找慢活的小鎮——九份

◎劉克襄

這裡是裸岩處處的茶壺山，這裡是芒草遍生的雞籠山。百年前，旁邊的九份如果沒有發現金礦，相信跟這裡一樣，放眼望去都是如此林木不生的荒涼山頭。發現金礦之後，不毛之地時來運轉，迅速變為北台灣最繁華的小鎮，小小山城隨著金礦的日夜挖掘，頓時擠滿了酒家、賭場和戲院。山下的人從海邊遠遠眺望，東北海岸幽黯一片，唯有山頂燈火輝煌，才搏得小上海的美名。

西方有句俗諺：「條條大路通羅馬」，那時若換成「條條大路通九份」，一點也不為過。陰陽海的煉銅廠、煤礦區的猴硐、同樣產金的金瓜石，還有山下的瑞芳，都有各種道路直通這兒。熟稔九份的人都知道，除了金礦，它的周遭沒有什麼重要物產，只要有金礦，好像也什麼都有了。

黃金盛產時，短短的老街，各種民生物質從生到死的一應俱全、都有包辦。但九份不是永遠高掛的明燈，它曾好幾度沒落，先是金礦停產，市容跟著凋零，後來因懷舊觀光而再度繁榮。電影「悲情城市」以它為主題，更帶來喧囂的觀光風潮。

八十年前，這兒是台北之外北部最早有電影院的地方。三十年前，這兒也是台灣最早有便利商店的旅遊景點。

黃金城市是悲情城市，更是華麗的觀光小鎮，在台灣觀光旅遊的風潮中，它向來是帶頭的指標；在台灣追求慢活和生活美學的風潮裡，它也一直領先改變，很多藝術家在此蟄居創作，強調美學的茶坊餐廳也紛紛出現，具有創意的民宿更陸續開辦，嘗試著在這山城裡營造可能的舒適家園。

很多人曾對它失望，但也有人仍寄以夢想，因為大起大落過，因為努力的尋找小鎮的定位，九份得以戲劇性的繼續它的山城傳奇。

九份位於台灣東北方的新北市瑞芳區，依山傍海，與雞籠山互相眺望，小鎮開展在山坡地上，山坡與階梯式建築的景觀，正是她最無可取代的面貌。

據說在清代時，這裡住有九戶人家，因為當時聯外交通並不便利，大家總是一起採買日常所需用品，買了什麼東西回來都要分成九份，久而久之就有了「九份」之名。

九份曾有過輝煌的過往。清代有人在開築鐵路過程中發現河中的砂金，隨即掀起一陣淘金熱。歷經民營（金寶泉）與國營（金砂局）的採礦，然後在日治時期的「藤田合名會社（藤田組）」、「台陽礦業株式會社」，金礦業達到巔峰。當年從海上看去總是燈火燦爛的九份，因此獲有「小香港」之稱。可是這份榮景只到七〇年代，後因金礦逐漸枯竭，人口大量外移，九份開始沒落。

直到八〇年代後期，多部電影在此取景，重新讓人們發現九份出塵而秀麗的美，包括《看海的日子》、《無言的山丘》、《悲情城市》、《多桑》，直到今天在九份遊逛，仍可見到來自台灣與世界各地的影迷，循著大銀幕上的光影記憶，來探訪構築了故事中人物生命的某個框格與風景。

《悲情城市》中挺著大肚子的寬美提著菜籃，走在累疊而上的石階，身後是整面打開的山海交錯的壯闊，對比地顯出人浮沈於世的微小。那樣的九份的美，依舊在那裡，永遠不老。

05 阿塱壹古道

Alangyi Old Track

重返阿塱壹古道

◎劉克襄

從環島的交通俯瞰台灣，幾乎所有海岸都鋪有寬敞的公路，只有一處彷彿化外之地，它是阿塱壹古道經過的海岸，當地人形容為台灣唯一呼吸暢通的地方。交通部規劃台二十六線劃過這裡，現存的阿塱壹古道即將面臨破壞的壓力，環保團體以為是最後的淨土失守。

數百年來，台東和墾丁地區的交通大抵是靠著這條路聯結，鴨母王朱一貴的部屬曾流亡到此；排灣族頭目潘文杰在此斡旋過牡丹社事件；看守鵝鑾鼻燈塔的西方探險家泰勒更在此踏查過。罕見的海岸動物椰子蟹、還有綠蠵龜登陸，台灣本島可以記錄的所在都僅剩這裡。

這裡有好幾條天然的小野溪，單獨而完整的流出山谷，漂流木和南田卵石大大小小錯落，鋪陳著天然原始的綿長海岸，更是別地少有的景致。你很少看到有哪個海岸可以用不斷起落的波浪、日以繼夜的把卵石排得整整齊齊，全世界海岸的聲音或許都類似，唯獨這兒，閉眼傾聽，海水退後時會發出卵石摩挲的生命絮語。

在這裡只有海浪的聲音和天空的一望無垠，沒有文明的一絲波動和干擾。也或許你不懂什麼自然環境，放眼望去，那裡也沒有什麼；但因為其它海岸都變化了，它因而特別突顯；別的地方充滿開發和建設，這裡卻什麼都沒有改變。一處台灣仍是過去的台灣，原始的荒野海岸，阿塱壹古道跟百年前一樣繼續暢通，我們仍擁有最後的海岸。

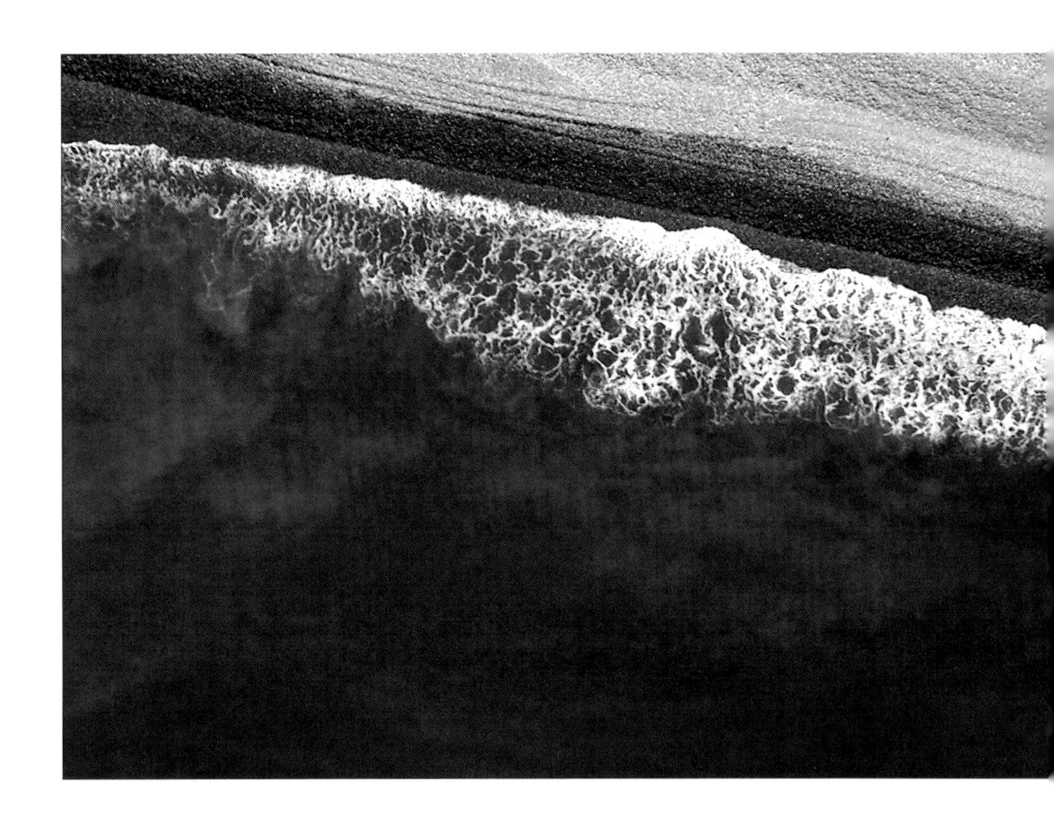

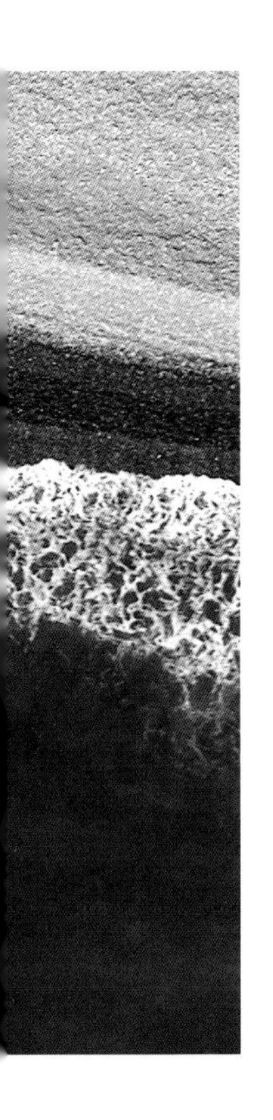

要認識「阿塱壹古道」，得先從清代「瑯嶠卑南道」說起。瑯嶠卑南古道的原始模樣是從恆春經滿州，沿著太平洋海岸經八瑤灣、牡丹灣（旭海）北上至達仁鄉，再達卑南，全長約兩百公里。這段路曾是清代台灣橫貫越嶺道，也是台灣最南邊的清代古道。這段古道曾作為原住民的獵徑、西方研究者探險紀錄的路線、清兵來往的舊道。而「阿塱壹古道」即是「瑯嶠卑南道」其中一段。

阿塱壹古道位於屏東滿州鄉旭海村到台東達仁鄉南田村之間，是沿著海岸長約六公里步徑。「阿塱壹」是台東縣安朔村的舊稱，而介於安朔至旭海的古道，且是全台唯二沒開發的海岸線路段之一。

因為長期罕無人至，阿塱壹古道保留有台灣最後的海岸原始森林及許多特有生物，包括由林投、瓊崖海棠、鐵色、樹蘭、台灣海棗構成的海岸原始林相，有整片特殊的海岸砂丘與圓滑的南田石海灘，每當海浪拍擊而上，這少見的圓石組成的礫灘，會發出清脆響聲，而屬於一級保育類的綠蠵龜，在觀音鼻一帶海域也可見其蹤跡。

曾有一度，政府欲將古道納入濱海公路系統，後引發環保和保育團體、在地社區與各界的反對聲浪，之後以文資法指定屏東旭海至台東南田間的天然海岸及集水區為「旭海—觀音鼻自然保留區」。從台二十六線公路開發爭議，到成功設計保留區，並催生環境保育與社區永續發展之共榮模式，為台灣的環境守護實踐寫下第一例。

06 平溪線

Pingxi Line

◎劉克襄

上個世紀初，平溪發現豐富的煤礦後，一條專門載運的鐵道悄然出現，深入這處雨量最多的鄉野。如今煤礦停止開採了，火車仍繼續蜿蜒，進出山洞，緊貼著狹長而陡峭地壯麗山谷，基隆河也在鐵道旁伴護著。清澈的河段經過長年沖刷，留下奇美的瀑布和壺穴地形，河流和鐵道交纏並進，彷彿戀人的絮語。

沿著這條鐵道，三個重要的小鎮座落著。十分擁有狹長的生活老街，平溪有著鐵道跨過上空的美麗交會，終點的菁桐是煤礦遺址最多的地方。例假日是最熱鬧的時候，許多旅客搭乘火車到來，在地人為了做生意，忙碌得像台北人；非假日平溪線才恢復平靜，街景彷彿回到七〇年代，繼續從容悠閒的步調。

除了煤礦、瀑布和小火車，大家還會想到天燈。以前放天燈，主要是為了防範盜匪，如今元宵節慶，常是滿山滿谷的天燈，象徵台灣的幸福平安。很可惜，這個遠離都會的世外桃源，一直都有外力想要積極開發，譬如最近盛傳興建東勢格水庫，或者更早時的填倒廢土，類似這樣的環境問題都讓人切身體認，平溪鄉是被疏忽的一角。但也因為熱鬧的天燈節大家更看清楚，它並不只是台北盆地的後花園，還是個小貧之地，以火車為軸心，過著自足、緩慢的生活。

在台北已消失的緩慢生活節奏，這裡仍存在著。像過去的煤礦一般，等待著更多的挖掘。

平溪鐵路在1918年開通，從宜蘭線鐵路三貂嶺分線起，至終點站菁桐坑，全長約十二・九公里。這條鐵路線沿著基隆河上游溪岸，必須要開崖鑿洞，不但考驗技術，也讓工程人員命繫一線，終於在1921年竣工。

當對外交通打開，平溪線的居民日常用品的輸入與煤礦礦產的輸出便因為這條鐵路便利許多，沿線山城開始有蓬勃發展。直到今日，平溪線仍在當地的生活中扮演很重要的角色。

平溪線上有別具特色的十分站，這裡有線上唯一的平交道，十分站且是平溪線的最大站，上行與下行的火車在這裡會車，在車站裡會看到軌道的換道桿，旁邊有重光煤礦的堆煤場。來到這裡，還會看到人力推送運煤車。

平溪線「火車從頭頂過」的景象為人們津津樂道，常常會看到許多遊客帶著大相機，在三坑溪鐵軌橋下旁等待著火車經過，要捕捉帶有老鐵路風味的照片。平溪線上最知名、人氣最高的，是早期稱為石底站的平溪站，人們來到這裡，除了遙想日治時期擁有大量煤礦開採的燦爛盛時，也為了作為台灣代表物的「天燈」而來。

07 福隆 Fulong

小河與大海的邂逅——福隆

◎劉克襄

雙溪像一條美麗的青蛇，優美的蜿蜒過北台灣，單獨跟海洋交會。它所流過的山谷平原，擁有綽約的鄉野風景，被譽為台北的後花園。雙溪長年挾帶著沙石緩緩流下，最後在河口的福隆積累出連綿的金黃沙灘，把自己的蜿蜒和優雅鋪陳的更為綺麗。

早年這兒遂成為都會人最熱愛渡假的海濱聖地，如今更是海洋音樂祭或者是沙雕的重要地點。唯此一金黃沙灘的面積大小，明顯受到雙溪流量與海洋波浪的交互作用，每年夏天，南風會將沙灘的沙往外帶，到了秋冬之際，東北季風又把外流的沙帶回，這是福隆海岸季節性的動態平衡，自古即有，過去也習以為常。

只是近年來河口的沙灘大量消失，變化速度遠超過往昔。大家才驚覺生態破壞的問題，環保團體和在地的貢寮鄉民都將沙灘的消失歸咎於近鄰核四的碼頭興建，後來為了繼續舉辦海洋音樂祭，不得不從陸上挖沙填補外灘，但在海水侵蝕下，不少區域都已礁岩裸露。很明顯的，以人為養灘並非長久之計。像核四碼頭造成海沙流失的例子，晚近在台灣也比比皆是：台北八里的台北港、宜蘭頭城的烏石港，還有花蓮的花蓮港，都因為興建港口或防波堤造成原有沙灘的流失，港內卻嚴重積沙。福隆的海沙不是一天堆積而成，流失與回復也不會在短時間看到結果。

找出真正因由後，還得儘快對症下藥，北台灣最美麗的溪流才可能繼續迤邐出一個美麗的結尾。

福隆大約在東北海岸線、石碇溪與雙溪河口之間，而福隆綿延長達三公里長的海灘，是從鹽寮到龍門再到福隆，主要為石英砂，因風土作用，在這裡可見到「砂堤」、「砂丘」等生態景觀。

東北角沿岸多為岩岸，主要作為天然灣澳發展漁業，只有龍門和福隆是沙岸。早期東北角交通不便利，依靠船隻與外界來往，直到日治時期修築了宜蘭線，取代「藍色公路」，而貢寮和福隆兩車站更作為運輸樞紐，帶起當地聚落發展。

福隆海灘的沙質地形一直是它的最大特色，除了海邊沙灘，濱海陸地其實也多半由沙丘構成。福隆沙灘是北台灣珊瑚主要群聚之地，有著柔軟細密的金黃色細沙綿延，是台灣民眾心目中海灘遊憩活動的天堂樂園。

讓福隆沙灘聲名大噪的首推從2000年起每年舉辦都引發大批人潮的「貢寮海洋音樂祭」以及「沙雕藝術節」等活動，為福隆注入青春與活力，也喊出了「北貢寮，南墾丁」的口號。

但如同《貢寮你好嗎》的歌詞：「有一天我的朋友他告訴我／海邊的橋被大海淹沒／消失的海岸線沒人問／美麗的珊瑚礁／蓋著石灰粉。」，這片美麗的沙灘，因為核四重建碼頭的填海築堤、颱風巨浪、雙溪河輸砂量等因素，沙灘大量流失。如果我們不愛護、尊重生態，再精彩的吟唱或吶喊，都無法挽回這片沙灘的容顏。

08 澎湖群島

Penghu Archipelago

女媧灑下的七彩石——澎湖群島

◎劉克襄

六十多座大小島嶼，各自以蔚藍的海岸、以金黃的沙灘、以奇險雄偉的玄武岩在海洋上璀璨而瑰麗地展現身影，難怪自古就流傳一則神話：澎湖是女媧補天時剩下的七彩石，灑向大海所形成的。群島形成、南北海流也在此交會，交會出豐富的魚類資源。大大小小七十多座密集的漁港，進而透露了周遭海洋跟陸地的緊密相連。而古老的石滬從海岸延伸如一畝畝海田，更突顯了這種海洋文化的特色。

只是隨著時代改變，澎湖跟世界上其他小島一樣人口大量外流，在難有投資和新工作機會下，不少人會夢想著，何妨徵收小島、委請財團進來投資，或者想像它變成觀光賭場的榮景。前幾年，當地人卻以公投阻止了博弈的方案。

目前澎湖正在嘗試綠色創意，想要以數一數二的強大海風以及長時的日曬展開發電計劃，走向低碳的新能源島。當白色的大風車開始轉動，當太陽能面板廣泛設置，或許也連結了這一群島。尊重環境維護自然的心意，如何跟外來的廠商共持股份，共享這塊無煙囪產業，在歐洲已有類似的成功案例。他們也樂於學習，澎湖已經找到這個方向，準備跨出此一永續的門檻。

有「散落於台灣海峽的黑珍珠」之稱的澎湖群島，由六十四個大小不等的島嶼與數十個岩礁所組成，而「黑珍珠」的美譽，形容的是當接近澎湖群島，首先映入眼簾的壯觀的玄武岩石柱群，黑色的岩理在陽光下透著燦眼的光芒，為這裡添加了一分神秘感。

澎湖舊稱有「方湖」、「島夷」、「西瀛」、「澎海」、「平湖」……，又有稱「菊島」，而葡萄牙人則曾稱它為Pescadores，意思是「漁夫群島」。

澎湖島群分布在南北長約六十公里、東西寬約二十公里的海面上，海岸線總長多達三百二十公里，多數為由多次噴發的玄武岩熔岩流所形成的地形，唯一的例外是西邊的花嶼，屬於六千萬年前形成的火成岩地形的它，是澎湖群島中最古老的島嶼。澎湖群島經千百萬年來陸地與海面的升降、海蝕與風化，雕琢出今日的奇特地貌。

澎湖的馬公市在明清時期曾是海峽兩岸的通商貿易中心，現在是澎湖的行政中心所在地，這裡還保留著馬公建城時最早的街道。而立廟於西元1604年的澎湖天后媽祖廟，除了是台灣歷史最悠久的廟宇，原稱的「媽宮」，正是「馬公」一名的由來。

澎湖群島可分北島群與南島群。北島群以自然生態、漁村和海域活動，其中吉貝嶼有整片由珊瑚和貝殼碎片組成的白色沙灘；南島群的七美嶼有人們津津樂道的「雙心石滬」，石滬是利用玄武岩和珊瑚礁砌築而成的捕魚陷阱，充分展現出先民的生活智慧。

鳥目台灣
▶part
two

樂活魚米

探 尋 台 灣 土 地 脈 動

俗云「靠山吃山、靠海吃海」，而台灣山海兼具又有平原良田，上天厚賜的自然條件不可謂不優，然而，台灣也面臨土地有限而人口浩繁密集的困境，過度對環境資源予取予求，進而衍生竭澤而漁或濫用農藥等短視近利的脫序行為，在在破壞了自然環境休養生息的循環，也蠶食鯨吞著我們的健康生活。這時候，轉個念回歸自然、尊重土地，相信換得的將會是更多的喜悅與幸福。

09 蚵田

Oyster Farm

彷彿外太空的蚵田

◎劉克襄

乍看時，彷彿飛行進入外太空，接近某一個遙遠星球的國度，邂逅了數以萬計方形圖案的詭異世界。更接近細瞧，卻有了美麗家園的感動：那是一個比台灣還瘦長的外傘頂洲，擋住了海峽的浪潮，裡面的海域形成水流緩慢的環境，蘊育了數百公頃的蚵田。縱使站在海堤上望去，極目遠眺港外的海面，都是竹子搭建錯落有致的蚵架，附近沿海村落的漁民也都停放小型膠筏，這些蚵船大抵在清晨出海採收、午後返航。

東石養蚵已經有二百多年歷史。最初居民都在近海養殖，採用插竹枝綁蚵串的方法，但收成有限。隨著時代觀念的進步，如今養殖方法依海水深淺而分，若在淺水處利用竹子做成基架，再把綁好的蚵串逐一橫掛在竹架上；若在深水處，才讓蚵串垂掛在竹架上放入海水裡。距離最遠的是浮棚式蚵田，在海上只會看到最上面的竹子像冰山露出尖角，但卻是產量最大的蚵田。海水下垂掛著最密集的蚵串，所能附著的蚵苗最多，蚵仔長期浸泡在海水中成長最為快速。

蚵田也要隨時照顧移位和整理，因而常看到蚵船在海上移動，從海上採收後還得進行剖蚵的工作， 附近不論哪個村鎮角落，不分晨昏寒暑，常見一家大小忙著剖蚵的辛苦景象。不過，廢蚵殼的處理也是棘手的問題。路邊隨處可見廢棄的蚵殼，海風吹拂下撲鼻而來的空氣，常摻雜著陣陣的蚵殼臭味。有一部分的蚵殼或可磨成粉末做為動物飼料中鈣質的添加物，但是蚵殼產量實在龐大，尚無法徹底解決。日後仍待有心人從中找到資源再利用的美妙方法。

民國七〇年代傳唱至今的歌謠《青蚵仔嫂》是這麼唱的：「別人的阿君仔是穿西米囉／阮的阿君仔喂是賣生蚵／人人叫阮是生蚵仔嫂／欲吃生蚵是免驚無」，歌詞中淡淡地自嘲築海為田的養蚵人家的辛苦。台灣養殖漁業在六〇年代到達成熟階段，且吸引了許多國外業者或養殖技術人員前來。其中，牡蠣是重要養殖種類，可回溯到荷蘭佔據時期。牡蠣又稱蠔、蠣房，中國明朝時還有「西施乳」一稱，在台灣則稱之「蚵仔」。

台灣東部海岸陡峭，不適合養殖牡蠣，養蚵主要集中於西部沙岸。三百年前就已從中國大陸傳到台灣的鹿港地區，鹿港因而成為台灣「插竹式養蚵」發源地。而嘉義東石港則是另一主要地區，由中國泉州人到台灣從事漁業，將牡蠣養殖帶過來。早期漁民用牡丹殼散布在海坪著苗繁殖，成效甚佳，於是順勢繼續擴張。

台灣養蚵都利用潮間帶或河出海口，淡海水交界、低潮時露出水面的地帶來養殖，而東石乾潮線很長，天然淤積形成大面積的養殖區塊。養殖蚵棚又分垂下式、浮棚式和平掛式，採收期隨地形、季節與潮汐而有所差異。

台灣河川污染問題，污水西流入海，會破壞西海岸養殖環境。例如高雄灣地區焚燒與酸洗廢五金，未經處理排入溪中，造成了重金屬銅離子大量溶解在海水或沉積於河床，養殖牡蠣吸收了這些銅離子變成綠色，被稱作「綠牡蠣」，後遭銷毀，該海域也停止養殖。

10

鹽山

Salt Mountain

一座鹽山的美好想像

◎劉克襄

一座鹽山彷彿金字塔，在海岸龐然出現，周遭的生態環境勢必跟它有緊密關連。

鹽山的形成主要是拜鹽田之賜，鹽田先引進海水灌進，經由各類水道導入人為的蒸發池，日後經過長時的陽光曝曬形成滷水，最後再曝曬成粗鹽。曬鹽的地方往往需要充裕空曠的海岸，台南、嘉義等海岸溼地自然成為早年產鹽最重要的地方。

曬鹽之後，接下來還要收鹽和挑鹽，這些粗重辛苦的工作早年都得靠鹽工日覆一日的忙碌，一座座白皚皚的鹽山才會形成。 在鹽工的控制和維護下，鹽田多半擁有規律的水位、濃度以及整修過的土堤。在土堤與輸送滷水的水溝中，許多魚類會伴隨著海水進入，蟹類更在這一環境挖洞、築巢，相對的，鳥類也視為美好的棲息空間。鹽田不僅提供人類食物，更充滿海岸生態的多樣性。

台灣製鹽已經有數百年歷史。最早時，鹽田採用人工曬鹽，後來改為機械化收鹽。但曬鹽的工作依舊辛苦，收入微薄。許多地方子弟都望而怯步，另謀他職。晚近幾乎都停產了，鹽堆不再發亮，鹽山也逐一消失。台灣最負盛名的七股鹽田，近年來也因成本考量不再從事製鹽和曬鹽，如今只剩一座鹽山形成新的觀光景點，旁邊還設立鹽屋、生技店、鹽博物館，讓旅客認識鹽的多方用途和產品。

至於鹽田廢曬，無人管理後，紅樹林的種子隨著潮水漂流到鹽田，時日一久逐漸形成濃密的海岸森林，同樣變成鳥類的濕地天堂。

說起鹽田、鹽山，很多人腦海中第一個閃過的畫面，應該是《鹽田兒女》中所描寫那些曬鹽、捕魚的小聚落生活場景吧！遍地是鹽田魚塭的村落裡，人們樸實、辛勤、看天吃飯的工作與生活身影，深深烙印在我們心中，故事的背景，正是當時的台南縣七股鄉的鹽埕村。

人們稱之「鹽田曬玉」，以及整片的炫目雪白，而被暱稱是「台灣的長白山、富士山」的七股鹽山，是七股鹽場最後時期的曬鹽。這段歷史始於明鄭時期，在日治時期與光復後持續闢建，光七股一地產鹽就佔全台總產量百分之六十，是工業用鹽最主要的區塊，直到2002年，曬鹽場關閉，三百多年的曬鹽業正式結束。

台灣鹽場的設立，最先是西海岸的鹿港、布袋、北門、七股、台南及烏樹林等六座，三千餘公頃的布袋鹽場曾是其中最大的一座，後七股鹽場在不斷成長的需求下，填沙洲造地，整個七股潟湖及東邊的鹽田，總開曬面積達到三千多公頃，且因為地形完整，日後鹽灘的機械化生產改革更易推動，成為台灣曬鹽生產的主力。

日常生活開門七件事的柴、米、油、鹽、醬、醋、茶，每一樣都可以找到替代品，只有鹽不可取代，由此可見它的獨特性與重要性。除了是食用上的必需品，鹽在農、工、漁業也扮演關鍵角色。在工業發展過程中，台灣耗鹽量曾快速增加，等到雲林離島工業區完成，年用鹽量一度逾二百二十萬公噸，另外，鹽、糖和米的外銷，曾是主要外匯收入來源，鹽無論在民生或經濟，都甚有貢獻。

11 西瓜 Watermelon

西瓜的甜蜜負荷

◎劉克襄

西瓜因體積龐大，擁有夏天水果之王的雅號。六、七月時，很多公路邊都會有小攤販在兜售，最近美國一份新的醫學研究公布，它更獨佔鼇頭成為最營養又便宜的水果。 這樣精彩的水果從哪裡生長出來的呢？它最適合在排水良好、乾旱且沙質的環境栽種，多數的瓜農也偏好承租一些開闊溪流兩側的河床，於是台灣從北到南，蘭陽溪、花蓮溪、濁水溪、枋山溪……都會看到數百公頃的廣袤耕地，排出一壟壟整齊拓墾的西瓜田。

多數栽種的時日選擇在春節前後，培育瓜苗時，瓜農都有各種保護措施，防止寒害、飛沙走石或雨水過多的情形。這些種種保護西瓜的措施，形成了廣闊而奇特的農作風景。溽暑的燠熱天氣裡，我們能吃到甜美的西瓜，多半就是從這類環境辛苦栽種而來。

很多瓜農因而常感嘆，種西瓜是高風險的農業，風調雨順，可能大豐收，獲得不錯的利潤；天公若不作美，風險便相當高，比如颱風到來，大雨滂沱導致溪水暴漲，辛苦栽種的成果可能一夕之間成為泡沫。西瓜栽種需要寬廣的面積，也常帶來影響生態環境的負面批評，比如大量抽取地下水、改變河川地貌，甚而造成河岸破壞、引發土石沖刷；又或者過度噴灑農藥、大量堆放雞肥，導致下游河川和海洋生態環境的污染。想要栽種出好吃的西瓜，如果代價是如此高的環境成本，相信沒人願意。這個長久以來的沉痾若不解決，西瓜的栽作環境就無法像它圓滾的外型那樣的青綠而成熟。

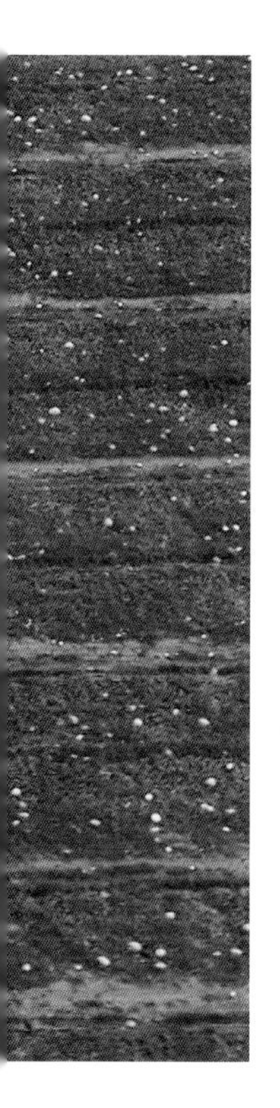

還記得以前國文課本上的選讀文章〈碧沉西瓜〉嗎？文中說到：「在碧沉西瓜豐沛的汁水中，享受醍醐灌頂的清涼痛快，是別的季節都不會有的專利。」，詩人羅青有首詩＜吃西瓜的六種方法＞，講吃西瓜的血統、籍貫，也吃它的哲學和版圖，當然還有「吃了再說」。對台灣人而言，西瓜的滋味，就是夏天的氣味。

西瓜原產於非洲，十三世紀及十八世紀先後傳入中國、引進台灣栽培，在農業專家的培育下，今天的西瓜有著不同大小，還可分黃肉、紅肉和無子西瓜。西瓜耐旱，可是不耐溼，最適合生長的環境是高溫、有充分日照且排水良好的沙土。台灣西瓜種植多在溪海邊的沙丘，灌溉方便，以因應西瓜生長需要的大量水分。

西瓜適合的生長環境溫度需在十二到四十度間，太低或太高都會讓植株發育減緩或停止；果實的發育和成熟，則二十八到三十二度最宜於促進果肉色素和糖分。分有春、夏與秋作，以新竹、苗栗、彰化、雲林、嘉義、台南、高雄和花東為盛產區。

每當到了採收季節，在布滿藤蔓的瓜田裡，一顆顆西瓜就像田中的綠寶石。

但為了開發瓜田，將自然河道作整地、填平，改變或縮減河道，當颱風季節一來就可能釀成危害，而河域的底棲生態、魚蝦、毛蟹和洄游魚類也喪失棲地。

12

漁港

Fishing Port

環繞全台的小漁港

◎劉克襄

地球上恐怕找不到第二個地方像台灣一樣，海岸線幾乎由漁港所構成，不到五公里就有一座，到處蓋漁港，乍看好像是政府照顧漁民的德政，但過度濫建的結果不只是工程浪費，連帶嚴重破壞海岸生態，導致沿海漁業資源加速枯竭，沿海捕不到魚類，沒多久，許多漁港也荒廢，變成遭人詬病的蚊子館。仍在使用的，同樣呈現蕭條破敗。

前景黯淡的髒亂景象，漁業環境惡劣，晚近漁業政策也做了若干調整。一些使用率低的漁港，開始朝觀光休憩的功能發展，例如台中的梧棲漁市，或者基隆的碧砂漁港，每逢假日或漁船返港拍賣漁貨時都吸引大批人潮，觀光型產業帶來榮景，各地漁港也紛紛效法，興建地標、涼亭或美化碼頭，成立觀光魚市，準備迎接海洋漁業的第二春。

台灣四面環海，擁有三股重要洋流，漁獲種類繁多，各處海域的漁撈方法和文化也有顯著差異，按理，若發展觀光漁業甚有可為，只可惜很多地方發展觀光漁港時都是有樣學樣，經營型態類似，各自該有的獨特風味反而逐漸淡去。同質性過高、缺少地方內涵，觀光漁業陷入急功近利的繁榮，長遠發展的契機也明顯窄化了。觀光漁業若要長久，恐怕得痛定思痛，努力達到一港一特色的內容，才有可能持續發展下去。

從二十世紀初期起，台灣開始有動力漁船，漁業不再限於早年的沿岸人力捕魚，而是朝遠洋漁場拓展；光復後，政府積極修建漁港，其中遠洋的鰹鮪圍網、魷釣漁業更一度成為漁業經濟主軸。

台灣因為四面環海，有些漁港和漁村連結成了漁業聚落，比如台東成功漁港和宜蘭南方澳漁港；有些則是漁港與漁村互相獨立，比如花蓮港、嘉義東石漁港和新竹南寮漁港。

漁港的功用包含了漁船停泊、避風、裝卸漁獲、漁船物資補給、修護，還有水產品加工、冷藏、買賣，現在也有越來越多漁港還肩負觀光旅遊功能。

依照設港類別，又分為全國性（如基隆八斗子）、區域性（如高雄中洲）、地方性（如桃園永安）與離島或偏僻地區（如苗栗白沙屯）。有些漁港的設施一應俱全，有的可能只有停泊碼頭，捉回的漁獲需送到其他漁港拍賣。比如澎湖高密度遍布許多漁港，但漁獲還是集中到馬公漁港的拍賣市場流通。

近年來，許多漁港也致力於觀光漁港和休閒漁業，力求轉型，不再只有當漁業處在榮景時才能生存下去。經由軟硬體重整、相關法規建立，並重視規劃與環境，超越原本的侷限。如淡水漁人碼頭、彰化王功漁港，以及台南七股溪南社區和連江橋仔漁村社區，都是成功的例子。

13

養殖漁業

Aquaculture

從草蝦開始的願景——養殖漁業

◎劉克襄

認識草蝦嗎？相信很多人都吃過，但大家可能都忘記了，在台灣的水產養殖過程裡，草蝦扮演過非常重要的轉捩點角色。

早年的養殖多半採粗放型態，產量有限下，無法帶來經濟效益。六〇年代起，才開始嘗試水產養殖，我們熟悉的鰻魚、香魚和斑節蝦，都是日本人來台投資。豈知，最初的實驗泰半鎩羽而歸，經過業者不斷改良才站穩腳步，草蝦就是在這一艱苦條件下，經由人工繁殖技術成功，逐漸建立外銷管道，再蓬勃開展。七〇年代末時，台灣的草蝦產量已居世界之冠，養殖技術也在國際間打出名號。只是當年生態環境意識薄弱，水源污染、濫用藥物等問題接踵而至；部分業者在無知情形下大量抽取地下水，更造成西海岸地層嚴重下陷。

相對於此，養殖漁業在技術上的傑出成績竟在此一生態隱憂裡被抹煞了。如今面臨遠洋漁業資源日漸蕭條，近海又過度捕撈、漁獲量衰減，水產養殖取代捕撈漁業，恐怕是未來必須面對的選擇。但環境保育日益嚴格下，不可能再無條件付出有限的土地成本，未來台灣勢必要朝高經濟價值的方向發展，比如先進國家積極推廣的海洋箱網養殖，近年來澎湖和屏東外海就有初步的規模，以海為田、以網為埂，透過這一近海養殖技術的更加精進，或許我們能再次展開一個較為永續的水產世界。

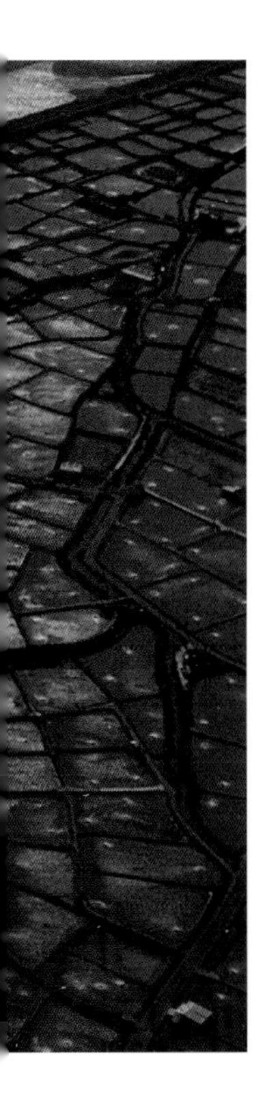

「養殖漁業」指的是利用海洋、河川、魚塭、水庫和池塘等水域放養水產生物的經濟活動。台灣養殖漁業起源可回溯到荷據時期，至今已有三百多年歷史。台灣盛行養殖的區域在彰化、雲林、嘉義、台南等縣。以養殖水園區分為淡水魚塭養殖、鹹水魚塭養殖、海面養殖。

例如淡水魚塭養殖，從早年以池、湖、埤等粗放養殖，到後來的人工育苗，而鹹水養殖從過去的淺坪式粗放養殖，後來技術也進步到各種類別的人工繁殖。至於海面養殖主要在彰化縣以南沿岸，利用潮間帶的淺海來進行。台灣養殖漁業因水產種苗生產與養殖技術不斷研發改良，供應給島上眾多新鮮海產，且在外銷上也表現優異。

沿著台灣海岸線走，可看到整途的魚塭，養殖漁業表面上似乎除了經濟活絡的意義，還另外帶有一份明媚的風情。然而，在經濟效益考量之下，抽用地下水造成彰化以南至屏東沿海土地普遍下陷。

今天的科技或工程方法都還無法讓下陷的地層重新回復到原來高度，再加上全球暖化造成海平面上升，海岸線漸往內陸縮減，而低窪地勢將引發排水困難、海水倒灌與積水不退等問題。

14 檳榔

Betel Palm

◎劉克襄

台灣人嚼食檳榔的習慣由來已久，漢人來台之前，中南部原住民就相當盛行了。但山坡地開始大規模種植卻是最近半甲子的事，原來，許多勞動界朋友都愛透過這種小果實的咀嚼況味達到社交目的。

檳榔栽種簡單，經濟利益高，放眼又無其他經濟作物可以取代，因而到處可見。中南部山區更常見滿坑滿谷的檳榔樹，形成企業化的大面積經營，連跟它相關的產品諸如荖葉、荖花的栽作，在台東地區都形成了重要的地貌景觀。只是單一作物容易造成生物多樣性消失，對原本的環境產生嚴重影響。檳榔林立的山坡地蓄水能力就不如一般林地，水土流失相對嚴重，每年颱風來襲，山坡地形成可怕的土石流。仔細檢視，很多地方都是栽種檳榔的地區，目前台灣約有五萬公頃的土地種植檳榔，每年地下水的流失量相當於十個石門水庫，現今水資源匱乏，檳榔絕對是元兇之一。

怎麼辦呢？有幾個方法或許可積極展開。比如，優先處理山坡地檳榔園的超限利用，可以種植的合法山區應該有適當的水土保持；又或者鼓勵新的耕作方式，不要任意整地、大面積破壞既有的環境，也可以考慮多樣樹種的耕作，減少水土流失的災害發生；還有隨時透過醫療保健系統提醒國民不要過度食用檳榔，檳榔無罪，重點在於我們如何栽種和宣導，強調水土保持的重要。面對這一傳統果物，我們若不積極解決長久以來的沉痾，山坡地只會繼續惡化下去。

「吹落斑斑的帝國旗幟／吹生出我們的檳榔樹葉／飄夾著芬芳的玉蘭花香／吹進了我們的村莊」，從歌謠中可看出檳榔與常民生活息息相關。

數千年前，排灣族、阿美族、魯凱族、雅美族及平埔族就有嚼食檳榔的習慣，檳榔在文化傳統裡扮演著不可或缺的角色，甚至作為入藥、送禮。在日治時期，日本人一度禁止種植和嚼食檳榔塊，到了台灣光復才又恢復種植。

檳榔屬高經濟價值作物，根據行政院農業委員會，每年三月到五月，檳榔產期即將結束，一顆檳榔青仔可高價賣至七到八元，每一芎檳榔青仔便可賣至一、二千多元。然而，雖具經濟價值，卻也衍生檳榔攤管理、環境衛生、口腔衛生健康等問題，而其中最受關注的便是坡地保育的爭議。

檳榔屬於淺根，要在山坡種檳榔，就要先砍樹，大量沙土將在此一過程中流失。而就算是在平地，大量種植檳榔同樣會讓土地保持水分的能力降低。難怪檳榔樹已被指為「生態殺手」。今天，檳榔園對自然生態所造成的衝擊、其之造成的水資源匱乏，較高爾夫球場更甚。

檳榔園如何盡可能不造成環境負擔？常用方法包括全面植草覆蓋，避免表土衝蝕，設置山邊溝及縱向排水溝，將地表逕流集中，排除地表水；以及應該設置在緩衝帶，過濾泥沙、肥料和有機物，才不會造成下游水源污染。

15

水田

Paddy Field

水田——台灣最廣闊的溼地

◎劉克襄

台灣的稻米每年多半耕作兩期，第一期在春節前後插種秧苗，經過一百天左右的照顧，約莫夏至時，稻穗金黃即可收割。但第二期時，有人會改種其它作物，也有讓土地休息，但多數會繼續種稻，立冬時再採收一回。

台灣平原上最遼闊的水田景觀，年年都是如此周而復始的耕作著，從生態環保觀點，水田是廣義的溼地，如果不過度噴灑農藥，裡面會棲息大量的動植物。很多人小時候在鄉下因而都有釣水雞、捉蜻蜓這樣的美好經驗，鐵牛犁田時，經常有白鷺鷥緊跟在後；稻穗收割時，也常有麻雀、斑鳩圍聚。農夫日出而作日入而息，相對於其它行業，明顯繁重許多。加上難以預估的風災、水荒或者稻熱病等，根本就是看老天賞臉吃飯，務農因而一直被視為相當辛苦的工作。

以前的社會，當農夫也常被人瞧不起。如今時移勢轉，很多人追求簡單生活，種稻反而被視為淳樸的象徵，金黃稻浪隨風吹拂，不只代表食物豐裕，儼然還意味著生態環境良好。只是隨著時代變遷，吃米的人減少，水田的面積也愈來愈為縮小，糧食是否能自足、休耕地是否太多，因而不時被提出來檢討。農民年齡偏高，年輕人不願意務農，更成為大家關切的問題。顯見稻米耕作不再是農夫的事，而是整個社會必須共同關心。縱使接下來的世代不再有青綠水田的童年，以米為主食的我們，從糧食危機和生態環境角度，恐怕都得更加未雨綢繆。

「近近的水田，一坵坵相連，遠遠介山崗，一層又一層，影子映到田中央，遠山像在我面前。山與田。」這是客家歌手謝宇威唱的《山與田》，歌詞充分描繪出水梯田景的優美。

然而，化學農藥及灌溉溝渠的水泥景觀普遍化、水田因休耕或廢耕造成陸化等原因，水田逐漸消失、水圳也荒廢了，孩子們不容易再看到童謠中那幅「天烏烏，欲落雨，舉鋤頭，清水路。」的景象。

台灣的水田耕種可追溯至清朝時的阿美族人。在今天，沿著台十一線而行，放眼望去，是整片依海岸山脈丘陵而闢建的連畦水梯田，整片水田面對太平洋，青山、金色稻浪、蔚藍的海水相互照映，既美麗，也醞釀了這片土地。

從手上的一小撮稻苗，到誕生、成長與收割，在百餘個日子裡，歷經選種、浸種、插秧、除草、施肥、灌溉、除蟲、防病、養鴨、趕鳥、收割、倉儲、輾製，難怪人們說，「誰知盤中飧，粒粒皆辛苦」。

台灣的稻米文化持續演進與蛻變，在新的時代氛圍裡，農村稻米生產的態度和訴求，已經和早年春耕、夏耘、秋收、冬藏制式的循環有所不同。今天的稻米文化，有更多個人特色不再為慣行農法所壓抑，且發揮有機稻作生產的活力，活化了原本帶給人們「老一輩」、「保守」、「看天吃飯」的農村內涵與生態。

16 茶園

Tea Plantation

走向有機——茶園

◎劉克襄

從低海拔丘陵到高海拔山區，台灣到處可見茶園的蹤影。遠遠眺望，一壟一壟的茶樹，依山傍林，整齊有序的排列，那優柔起伏的線條，以及墨綠的典雅色澤，彷彿是上蒼賜給人類最美好的作物。晨昏之際，採茶婦人三五成群，辛勤的穿梭在茶園裡，更常觸發我們歌詠農家的美好。

晚近經過各種資訊媒體的報導，不少茶農身影背後的感人故事也逐一披露，不同山區茶種的栽作，不同時節茶葉的烘焙，加上代代承傳的經驗，或者某一信念的堅持，很多茶農都擁有獨到的功夫。茶農種茶過程的悉心講究，自然帶動了喝茶品茗的雅緻風氣。

晚近生產和消費兩造間的努力，愈加豐厚台灣茶道的美學，作為文化產業，未來前景也持續看好。只是在全球商業體系的激烈競爭下，還是有潛在的危機。消費者對茶葉安全衛生的要求日益提高，農藥殘留的問題也特別受到重視，茶葉栽種帶來水土保持的問題，更帶來諸多生態環境如何維護的思索。除了精緻的文化包裝，有機栽作早已成為趨勢，不少茶農都會考慮種植的土地倫理，以小農栽作為基礎，以整體自然生態為信念：比如放棄噴灑農藥、不施用化肥、該給蟲吃的就還給牠們；經濟與環境必須兼顧的耕作方法，可能相當艱辛、困難重重，但為了生態環境的永續，追求茶葉更美好的質地，再嚴苛的條件限制，恐怕都要逐一去克服。百年前FORMOSA TEA的美好名聲，也才能更加確立。

台灣茶的歷史可追朔自清朝，因地處亞熱帶，茶樹分布極廣，從平地到高山，每個地方風土條件與製茶技術的不同，各自創造了獨特風味的茶湯。

台灣知名茶葉包括南投鹿谷的凍頂茶、台北文山地區的包種茶、新竹縣北邊的東方美人茶，另外松柏長青茶、木柵鐵觀音、三峽龍井與碧螺春、阿里山珠露、日月潭紅茶等，也都享有盛名。這些年來，茶農業開始往「有機」轉型。1988年茶葉改良場凍頂工作站第一次試行有機茶耕作，2000年農委會正式訂定「有機農產品驗證機構申請及審查作業程序」。

有機農法以尊重土壤為本，倡導永續的農業生產體系；有機茶施肥不使用化學肥料，只施用堆肥、豆粕類與有機肥料。而在病蟲害防治方面，不用農藥，改以例如草蛉生物防治、昆蟲性費洛蒙、人工捕捉、物理與剪枝防治、天敵防治，使生物生態達到平衡來降低病蟲危害。另外，以人工除草、中耕除草方式來代替除草劑。有機茶園利用農業自然循環機制，依土壤性質並配合輪作制度，讓農地生產力有效發揮，從而降低環境負荷。

隨著環保與健康意識與日俱進，提高農藥殘留檢驗標準已是國際趨勢，台灣有機茶園也正在加速趕上這一波趨勢，讓有機茶順利作為出口的重點商品。不只是把甘甜醇美的茶帶往世界各地，也是台灣茶文化的遠颺。

深省未來

縱 覽 台 灣 城 鄉 百 態

不論是過去長時間的放縱或疏忽，還是駝鳥式不聞不見的淡漠心態，相信大家一定不樂見，山嶺的髮際線隨著濫墾濫建而愈來愈高，河川嗚咽苟延任由翻肚的魚蝦以死告白，誠然土地開發擴大了我們生活的版圖，但國土利用不該寅支卯糧、不該犧牲環境與自然生態資源，就是因為開始了這樣的覺悟和省思，我們追求永續發展、我們護佑下一代的努力，永遠都不會嫌太遲。

17

綠建築

Sustainable Buildings

綠能革命的火車頭——綠建築

◎劉克襄

從高空俯瞰，玻璃帷幕大樓熠熠閃耀，它曾經是摩登繁榮的象徵，是我們展現科技進步的場所，然而隨著環境愈來愈惡劣，它已悄悄地被新的建築思維取代。近幾年，以生態、節能、減碳、健康作為理想的綠建築在台灣各地陸續出現，譬如這間被樹蔭包圍卻又擁有大量自然光的建築，宛如山中的精緻木屋別墅，它其實是台北市立圖書館北投分館。以階梯造型巧妙製造遮陽的建築，不是六星級的觀光飯店，它是台達電的南科廠房；還有八八風災後重建的那瑪夏民權國小，強調就地取材，展現傳統高腳屋特色，未來將是中海拔綠色校園的表率；台北國際花卉博覽會的新生三館，建造時遇樹則退，建築物隱身在老樹森林中，更像是這片大地原有的一部分。位在成大校園內的綠色魔法學校，屋頂的生態花園可以讓室內降溫七度，而且連電線都是綠建材，簡直是綠到骨子裡去了。

這些綠建築節能減碳的本領或許不同，但因應亞熱帶溫暖潮濕的氣候，都設計了許多遮陽並且適當的引進自然光、規劃通風路徑，這些也可說是台灣綠建築必備的特色。反倒是太陽能光電等高科技雖然在綠建築經常可見，卻非必然。綠建築可以簡單平實，不一定要花大錢，早年的傳統建築譬如排灣族的石板屋、屏東客家的夥房……建造時順應氣候和環境，運用當地的資源，都有借鏡學習之處。

有人說建築能反映靈魂，歌誦玻璃大樓時，我們背離了自然，現在我們應該重新擁抱，在綠建築裡繼續尋夢，和地球一起健康生活。

「綠建築」概念的伊始，或可追溯到西元1972年聯合國一場在瑞典斯德哥爾摩的會議，當時全球警覺地球汙染與資源浪費等問題，認為應透過建築使用材料和設計來節省能源。1992年，在巴西里約的地球高峰會，進一步思考人類面臨的環境危機，次年，聯合國成立「永續發展委員會」，全面性的地球環保運動正式展開。

如今，「綠建築」已是全球的永續發展最重要項目。它在不同國家有不同的稱呼，日本稱為「環境共生建築」，部分歐美國家稱為「生態建築」或「永續建築」，都是指盡可能耗用更少資源、製造更少廢棄物的建築物。

綠建築的目標是要以人類的健康舒適為基礎，追求與環境共榮，因此，好的綠建築不能忽略氣候條件與國情的差別，得針對每一建築物所處的特殊性作調整。台灣的綠建築係以位居的亞熱帶高溫、高濕氣候特性，掌握國內建築物對生態、節能、減廢、健康等方面需求，來訂定建築評估系統及標章制度，自1999年九月實施。是全球第一個獨自以亞熱帶建築節能特色來發展的系統，也是亞洲第一個綠建築評估系統。

18

嘉南大圳

Chianan Irrigation

嘉南大圳的環保啟示

◎劉克襄

烏山頭水庫狀似美麗的珊瑚，貯存著大量溪流引進的豐沛水源，當山下的平原需要灌溉時，水庫裡的水循著蜘蛛網般繁複的渠道，經由幹線、支線和末端的給水路，滋潤了每一塊農地。

烏山頭水庫連接的渠道，是日治時期最重要的水利。嘉南大圳，當年亞洲地區最大的農業灌溉系統，水庫和大圳都是日本水利工程師八田與一的精心擘畫，費時多年的穿山鑿洞，引用了曾文溪的溪水，才一舉將昔時的不毛之地灌溉成翠綠的沃野。日後，嘉南平原遂成為台灣地區最大的穀倉。

晚近全球面對氣候環境變遷，水資源日益缺乏，各國都在積極因應，台灣也不例外。尋找水源最簡單的方法或許是興建水庫，但建造水庫往往嚴重影響周遭的自然環境；再者，如今能夠做為水庫的山區幾乎難以再獲得，過去很多水庫在建造時雖標榜生態功能，長久以往也禁不起颱風和土石流的考驗，導致水庫的壽命大幅減短。戰後興建的石門水庫就是鮮明的例子，灌溉、蓄水等功能因多年泥沙的淤積而失控，颱風時，桃園地區的民生用水才會一再亮紅燈。相對於此，嘉南大圳或許是一個良好的教材。當年興建烏山頭水庫時，巨大的堰堤拋棄了使用混凝土，整座水庫和大圳的灌溉渠道完全是順著地形挖掘的自然工法，這是東亞唯一的濕式土堰堤，規模在世界或堪稱絕無僅有。如今八十年過去了，它的功能依然保持良好，委實叫人稱奇。

我們飲水思源，不僅要感念這個日本人的無私奉獻，從這一早年迄今仍保持完好的灌溉系統，相信也會有當代水資源保育的啟發。

今天我們看嘉南平原，是整片綠色的稻田。可是在將近一百年前，這裡因為地區內的河川多半短急，且降雨量也不平均，土壤雖肥沃，可農業的發展卻深受限制。當時這個區塊多半是所謂的「看天田」與蔓生的野草，沒有農業的豐收，也少有人煙。究竟後來發生了什麼事，令得一切如此不同呢？

答案就是：「嘉南大圳」，這是日治時期最重要的水利工程，為了增進土地利用、生產更多糧食，從1920年起花了長達十年時間興建完成。嘉南大圳作為嘉南平原農業發展的血脈，其水源主要由曾文溪、官佃溪和濁水溪而來。

建造烏山頭水庫、水庫的引水隧道、濁水溪進水口，這整個複雜又浩大的水利工程，還有當時東南亞第一的水壩，在當年全球也幾無先例。隨著大圳的通水啟用，灌溉、排水、防潮、疏洪功能等功能同時上路，『嘉南大圳』讓嘉南平原從此有了不同的風景。而通水後的灌溉面積廣達十五萬甲，也是全台最大的灌溉區域。

必須一提的，是人稱「嘉南大圳之父」的八田與一（1886-1942），他在1910年來到台灣。八田與一在調查研究後，發現可在官佃溪與龜重溪建造水庫來供給灌溉用水，並興建灌溉與排水工程。這位靈魂人物不僅扭轉地造就嘉南平原的命運，其工程生涯重要的建樹還有規劃桃園大圳。

19 高雄

Kaohsiug

從愛河出發的港都——高雄

◎劉克襄

一座大山依傍著海洋，一座大港銜接著城市，地理分明的高雄，跟南部人的性格一樣簡單、直爽，一根根煙囪到處矗立，一艘艘大船不斷入港，高雄也總是給人清晰的、工業城市的長相。唯有一條愛河好像絲帶，蜿蜒的貼近整齊的街道， 想要帶給這座鋼鐵城市美麗的面貌。

過去幾年，愛河也因為整治成功，不再是條污染嚴重的排水溝，河岸清麗宛若休閒公園，白天綽約明亮晚間華麗輝煌，頓時間更成為高雄人的驕傲，整個城市彷彿都墜入愛河。晚近高雄又有一個夢想，想要以愛河為基礎，擴大水文地理的範圍，一條以河川濕地為主的生態廊道正在蘊育，它跟柴山並行，串接南北的自然環境。這些地方包括了洲仔、援中港等溼地，還有蓮池潭、內惟埤之類的親水休憩空間，同時串接幾處尚待開闢的埤塘和滯洪池。

這條廊道沿著愛河一路下來，最終連接到大港、大山和大海，如此綠帶與藍帶的緊密接軌，不僅將串聯高雄的生態環境，也會完整的展現都會核心的優質內涵。

等南北向的廊道成功建立，日後還會有東西向的地理，以曹公圳為軸線繼續推動，從早期河川的整治著重在污染改善，進而到重視水文地理的營造，高雄正在努力擺脫工業之都的既有形象。

自然生態環境豐腴，民眾的親水空間增加，城市的生活品質也會提高。高雄正在努力走向一個綠能城市，生態廊道將是這個趨勢的指標。

最早，高雄地區是由半屏山與打狗山等高位珊瑚礁圍成的內陸淺海，歷經漫長的沈積作用，到明末河川逐漸成形，那是愛河的前身。清朝時人們將愛河的河段稱之「港」，從上到下游分別是船仔頭港、田尾港、龍水港、鹽埕。

最早定居在這裡的是平埔族馬卡道族人，維生方式主要是在河中捕獵魚蝦，他們有一特殊生活習慣，就是用刺竹圍繞著住屋，刺竹在其族語發音為「打狗」，高雄的舊名正是從這裡來。那時的愛河因此叫「打狗川」，直到日治時期改為「高雄川」。

愛河是在日治時期從自然河川轉變為工業運河，日本人濬深高雄港航道，以便利大船進出，愛河被疏濬成適合工業運輸的航道，因此又有一稱是「高雄運河」。

而工程中抽出的砂石，回填於愛河出海口的淺灘，打造出台灣第一塊大面積的海埔新生地，即是「哈瑪星」。這個地區有棋盤式街道規劃，筆直的道路、整齊的電線桿、自來水與電力一應俱全，成為高雄最初現代化區塊。

至於「愛河」一稱，據說本是中正橋邊一處划船所之名，因為曾有媒體誤植，從此種下了美麗的錯誤。愛河全長只有十二公里，甚至不到濁水溪的十五分之一，可是它有九成流域都在高雄市境內。瞭解愛河的演進，幾乎也就是循線探索高雄的城市發展。

20

台北

Taipei

尋找綠光的風水之城——台北

◎劉克襄

兩條大河浩蕩的交會，周遭山巒蓊鬱的層層環繞，這樣倚山傍水的台北盆地早年在地理風水師的眼中，不僅充滿靈性更是建城的最佳所在。放眼現今國際大都會，台北也比許多城市擁有更多的自然環境，如此得天獨厚，若有長遠的規劃，應該是追求緩慢生活的美好城市。偏偏台北的生活步調緊湊，在追求消費講求效率的工商社會下，城市開發與交通建設總是有增無減。於是，高大的堤岸隔開了河流，開闊的外環道路劃過了山林，一棟棟大樓更如雨後春筍，形成都市森林。

水泥大樓林立不只形式醜陋，更麻煩的是耗費許多建材資源，無法達到節能減碳的功能。閉鎖的盆地空間愈加緊縮，似乎也促發它的快轉，讓它成為熱島效應下的大熔爐。從天空檢視最為清楚：台北不僅缺乏連續的綠地空間，更無大面積溼地環境的均勻分布，光靠幾條大街的林蔭大道、幾座象徵性的森林公園、還有水岸空間的鋪陳，離一個綠色城市的標準都還很遠。綠色資源明顯的被排擠到外圍，無法適當地進到城市空間、融入市民的生活休閒意識。

城市如何決定未來，端賴市民的抉擇。台北人最常強調，自己可以一小時內接近海邊，下個小時站在一千公尺的高山；但最好的自然不是很快可以抵達而已，應該是生活周遭充滿這類綠色環境，如今不少舊市區在更新，不少新大樓朝綠色建築摸索，或許都帶來一些希望，但最好，最好還是整座城市以友善土地的方向全面規劃，百年前那座充滿靈性的城市才可能回來。

要認識台北，得從大海往回說這個故事。從台灣北部淡水附近的海上，穿過觀音山和大屯火山群，即是淡水河河谷，也是台北盆地的入口，隨同漲潮，穿越古稱「干豆門」的關渡，正式進入台北盆地。

關渡是基隆河與淡水河的交匯處。基隆河到士林一帶，往東轉向東流，經松山、南港，最後是汐止，這邊叫「水返腳」，是台灣海峽潮汐進退的終點。

最早時候，先民從淡水、關渡來到台北盆地，再沿淡水河、支流的大漢溪、新店溪和基隆河，逐步上溯，開拓台北盆地與周圍的丘陵與山地，包括大屯火山群、五指山山脈、東南山地（有南港山與清水山地塊）、林口台地等。

台北盆地面積約兩百五十平方公里，有點接近三角形的形狀，頂點是關渡、北投，而底邊則從南港，到公館，再延伸往樹林以南，溪河流入與流出之處，正是這三角形的頂點。台北盆地最主要溪河是淡水河的三大支流：大漢溪、基隆河、新店溪，分別在樹林與南港進出台北盆地，以及貫穿盆地的東南底邊。

最早居住在台北盆地的是凱達格蘭族，漢人是到了十八世紀才遷入，達格蘭族屬於台灣原住民平埔族群之一，主要分布在台灣北部濱海地區及台北盆地，最遠到桃園龜山、南崁一帶。「凱達格蘭」在其族語中，指「看得到海的地方」。

21 風力和太陽能 Wind and Solar Energy

等待中的希望——風力和太陽能

◎劉克襄

再過二十年，我們現有的能源還能維持合理的經濟效益嗎？核電的安全問題、火力發電的嚴重污染愈來愈難被國人全盤接納了，接下來又該怎麼辦？在擔憂未來能源短缺、積極尋找替代的綠能產業裡，我們的風力和太陽能前景看好，也最常被提及；風力發電既安全又便宜，不少開發國家已蓬勃發展，但它需要廣大的開闊土地，台灣地狹人稠，因而設置的地點都選擇海岸，沿海地區風能豐富， 對現有陸地資源的破壞也較少，只是大風機的設置還未帶來發電的美好，晚近已產生不少生態破壞的負面效應。

環保問題總要有因應對策，若風力穩定，以小風機為考慮，再兼顧環境景觀的維護，除了離島地區，不少內陸或許都有機會設置太陽能一樣潔淨無污染、也是最符合時代的再生能源。台灣的日照時數充足，更具有發展條件。很多城市大樓和公共場域乃至一般家庭都能種電，台灣的技術雖日益精進、居於領先地位，但在國內也是窒礙難行。種電成本過高、政府政策裹足不前、環境限制未妥善解決、光電晶片會產生有毒廢棄物，這些都是現下潛在尚未克服的因素。

綜觀之，不論風力或太陽能，綠色電力的發展初期除了靠政府獎勵和補助，逐漸以技術進步降低成本解決用電價格過高的障礙，本身也該時時惕厲，避免自己是環境污染的製造者，日後才能樂觀的期待形成台灣不可或缺的再生能源。

人類文明持續發展，代價卻是能源的急速消耗，化石能源（石油、天然氣、煤）可能很快消耗殆盡，加上京都議定書的制定與近年來高漲的環保意識，替代性能源成為人們關注的焦點。

尋找可隨大自然運作永不枯竭的再生能源（如：風能、水力能、太陽能、地熱能、生質能、海洋能）是全球各國的目標。其中，太陽能跟風力發電，被認為是台灣最具潛力再生能源。

太陽能指的是來自太陽的輻射能，其直接或間接的提供給地球的能量。只要將百分之一抵達地表的太陽能轉換成可用的能源型式，便已足夠滿足全球能源需求。台灣擁有日照充足的優勢條件，可發展太陽光電發電系統的設置，將太陽光轉換成電力 。目前需要面對的問題是如何提高轉換率與降低發電成本，另外近年的以農地「種電」，可能導致良田被入侵的隱憂。

而風能，被公認為最乾淨、最低碳的再生能源。風能可以說是太陽能的副產品，太陽輻射到地球之能量中的百分之二變成風力，其中之千分之一可供作風力發電。風力發電已成為全球成長最快速的再生能源發電技術之一。台灣除了四面環海有旺盛海風，且有強大東北季風。2000年有了第一座風力發電機。目前約有三百多架陸地風機，現有風機分布狀況由三芝一帶到林口、觀音、後龍、新竹、台中、彰化以及澎湖等地。

22

日月潭

Sun Moon Lake

日月潭的最後華麗

◎劉克襄

一艘一艘載滿旅客的遊艇，緩緩的滑過波光粼粼的湖面，悄然的為這一寂靜的綺麗風景帶來幾分如詩如畫的動態之美。台灣能夠展現如此山水交融的地方，大概只有日月潭這座最大的淡水湖了。其實，最早時它只是一座小湖泊，日治時代為了發電需要截取了濁水溪的水源，淹沒附近的小山丘，才形成今天的泱泱大湖。

如今湖中最引人注意的地標莫過於拉魯島，它是當地邵族人的舊聚落，也是邵族人最高祖靈的居處。除了優雅的湖光山色，邵族的風物也是日月潭重要的遊覽景觀。浮島、杵歌和獨木舟，早就深深烙印在遊客的腦海裡。這些特殊的地景元素加上交通便捷，現今又有高空纜車徐緩劃過湖畔，更讓日月潭躍升為台灣最熱門的去處。

船過看似水無痕，其實秀麗的日月潭周圍，一直是動蕩不安的。長久以來，邵族人為了適應新的經濟形態，早就放棄固有的生產和生活方式，他們是台灣最早被觀光化的原住民族群，外面的財團更覬覦這塊山水大餅，不斷在湖邊大興飯店土木，主導了整個生態環境的變遷。如今環湖四顧，能夠開發的平坦之地早被一家家豪華旅館所佔滿，帶來嚴重的污染。每天，遊艇忙著載觀光客來回，湧起的浪潮不斷侵蝕岸邊，造成湖岸崩塌，更帶來湖泊生態的破壞。最近財團又朝山頭開發動腦筋，連潭畔的船屋也不放過。一天數千遊客進出，一年四百萬旅遊人次的住宿、購物和遊潭，日月潭早就失去原有的寧靜之美。

我們只有一座難以回到過去的質樸，健康不斷亮起紅燈的湖泊。

早期文獻中所記載的「……水分丹、碧二色，故名日月潭，珠山屹立潭中，高一里許……」。日月潭是台灣最大的天然湖泊。湖面海拔約七百五十公尺，滿水面積約將近九平方公里，最大水深約三十公尺，也是擁有最多外來種生物的淡水湖泊。

人們慣以「日月潭」來直接稱呼整個區塊，但這裡其實是以拉魯島（舊稱珠山、光華島）為界，因為東與西邊的分別形似「日輪」、「月鉤」而有了「日潭」與「月潭」，而「雙潭秋月」也是台灣八景之一。

遷移自西部平原的邵族是日月潭最早的住民，長達三百多年，他們圍潭水而居，稱湖為「水社海」。而又因為平埔族以「沙連」來稱呼住在山中的原住民，相當於現今魚池鄉與埔里鎮的地域區塊，於是曾被稱為「水沙連」，而日月潭就位於此區域的中心。

日治時期日本人在這裡建造發電所，稱「日月潭第一發電所」，利用中央山脈中濁水溪的水源，讓日月潭作為貯水湖，並在武界建壩攔截濁水溪上游溪水，鑿人工引水隧道到日月潭，供給水源，而發電後的水則被引導注入濁水溪支流水里溪。而西部縱貫線上的集集支線鐵路，也是在當時為運送興建電廠所需材料而造的。

發電廠在1948年改名為「大觀發電廠」。1970年，日月潭定為風景區，2000年設立為國家級風景區，並把水社大山、水里蛇窯、魚池鄉和集集大山包含進來。

23

清境

Cingjing

高山上的驚嘆號——清境

◎劉克襄

從空中鳥瞰台灣的高山，翠綠而壯闊的山脈連綿不斷，總是令人震懾感動。其中唯有一座山頭，赫然的以一叢叢華麗輝煌的水泥建築集聚山頭，刺眼而醒目地座落，當你瞥見時難免錯愕，這裡是台灣嗎？怎麼政府會讓這樣的景象在高山出現？

其實，以前的清境只是一個栽種高山蔬果的農場，當年只有少數榮民被安排在此生活。九〇年代高山農地政策鬆綁後，清境遂躍升成為熱門的觀光景點。原本青翠的山峰，被豪華的民宿密集取代了；原本蔥蘢的樹木，被開闊的草皮硬生生的佔領了；原本清幽的環境，被熙攘往來的車流聲淹沒了。

為了吸引遊客前來高山渡假，這裡的民宿和餐廳也都很會取名，一些詩意而美麗的歐洲地名，在清境都看得到，好像這裡就是歐洲。它像海邊的墾丁和淡水一樣日夜喧囂，夜深了，周遭是寂靜的森林，這裡仍燈火輝煌。但表面熱鬧繁華的後面是什麼？ 若是繞到後頭的環境觀看，不禁教人憂心。垃圾遍地、管線濫接的情形到處可見，超量用水、廢污水四溢的髒亂景象更是尋常；若從專家的研究報告，我們還會發現，水源短缺、水土保持破壞、山坡地過度開墾等等問題都已亮起了紅燈。這些環境的惡化或許無法一時間解決，但若不及時面對，遲早會出狀況，進而影響山下的環境。說不定今年颱風到來時，它就是下一個廬山。

清境能否再度回歸清靜，能否走出自己的山林文化，環顧周遭的青綠山頭，我們不免期待公權力採取強制措施，進行環境復育，讓它重回山林蓊鬱的行列，填補這處台灣高山漏失的空白。

少了清靜的「清境」

清境農場位於南投縣中橫霧社支線，海拔在一千七百到二千一百公尺之間，年均溫為十五至二十三度，成立於1961年，政府設立來讓退除役官兵們進行農墾，最初名為「見晴農場」，曾是台灣唯一的高山農牧場。清境海拔高、氣溫低、雨水豐沛，居民多耕作高冷蔬菜、溫帶水果。到了九〇年代農業發展條例修正，部分土地放領給承作戶。

清境擁有難得的四季分明，春天有桃花、梨花、蘋果花，四月採收春茶，在放羊地帶到處是毛地黃。五月有野菊花和合歡山高山杜鵑。當秋天到來，也可賞楓葉紅。除了宜人秀麗的風景，隨處可看到綿羊與牛群，也是在台灣相當少見。

清境位於雪山山脈南邊，環繞著合歡山、奇萊山、能高山、安東軍山。從清境農場往東邊，合歡主峰、合歡東峰、奇萊北峰、奇萊主峰，峰峰相連，壯闊美麗。台灣包含有兩百多座三千公尺以上的高山，以水平寬度只有一百四十餘公里的狹窄，從海平面可以劇烈變化成海拔三千公尺的高山。而清境的美，恰恰是台灣此一特殊地形的景觀。

但這幾年來的清境，似乎少了幾分「清靜」。通往清境的台十四甲線上，樹立一棟又一棟洋溢著歐風氣息的民宿，沿途隨處可見大小引水管線，山區內林地間雜著不銹鋼水塔。原本只能作產業道路使用的山坡地道路，如今要承載大量觀光人潮，甚至有農舍民宿私設坡道讓車輛進入，都帶給環境相當大的負擔。

24 河流 Rivers

像墨水一樣的河流

◎劉克襄

很難想像，有一條河像墨水一樣挾帶著嚴重的惡臭，流過綠色的鄉野。你看到的或許只是一條尋常的溪流，但它也是西海岸很多溪流的縮影。尤其是平原廣闊的南部，二仁溪便是晚近台灣污染最為嚴重的一條。至於近鄰的鹽水溪和阿公店溪也不遑多讓，這些河川大部分受污染的河段集中在中下游人口密集的地區，它們的水質為何如此惡化，主要有三個原因：

第一，大量城市人口所排放的廢水。並未納入污水下水道系統做適當的處理，卻直接放流到河川。

第二，近三十萬頭豬隻的照顧和餵食，還有上游的畜牧業，都缺乏嚴格的稽查和衛生管理，同樣造成相當嚴重的影響。

第三，沿岸許多工廠工業廢水的排放。雖有管制，但排放量過大。污染因而更急劇上升。

我們的日常生活跟水息息相關，農業灌溉和工業用電一樣不能缺少，提供主要水源的河川若不保護乾淨，勢必要付出龐大的代價。南部主要的十條河川，有八條受到嚴重的污染，難怪民營供水站四處林立，很多人只敢買礦泉水喝，如此每下愈況，大家不免感歎：俟河之清，不知何時。

但並非每一條嚴重污染的溪流都無法改善。雲林北港溪也曾被奚落，視為污染最嚴重的水域。後來，地方政府嚴格取締沿岸的養豬戶，加強畜牧業的稽查工作，再配合河川巡守志工隊伍加入執法行列，杜絕不法排放廢污水，同時不斷監測，水質才得以逐步改善。每一條河或許都有不同的際遇和狀況，但只要政府有心面對，願意展現更大的魄力，每條河川相信都有清澈乾淨的一天。

位居亞熱帶的台灣，降雨豐沛，且又有陡峻的山勢地形，因此在小小的島上就有很多河流；從中央山脈注入台灣四周的海洋，共計有四百多條大大小小溪河，各河系加起來囊括台灣面積八成，作為最主要的內陸水體，這重要的水資源正是台灣的社會與經濟發展的命脈。「水」在人類生活中是如此不可或缺，除了日常生活，也催生著商業或工業的發展、農業活動的運作，甚或水力的開發和水產養殖；可也因為如此，在經濟發展掛帥的前提下，加上人口增加與都市活動繁忙，水資源面臨過度開發，造成水污染的問題。

你是否看過黑色的河流？它們除了有令人困惑的沈重色澤，且散發著的尖銳的刺鼻氣味，違背我們對於「門前有小河」的自然想像。這些河流究竟發生了什麼事呢？要述說這個故事，二仁溪的身世絕對是不容遺忘的。

二仁溪從高雄內門發源，在灣裡區流入台灣海峽。灣裡曾是廢五金回收業重鎮，居民以收集「歹銅舊錫」為業，說是「點石成金」、「煉金術奇地」也不為過。然而，為了將廢料轉成可用金屬，需歷經的去除表面髒污的程序，人們就將舊金屬直接浸入二仁溪來淘洗，以及，提煉金屬過程中的酸洗所製造出的廢水也傾倒入溪。金屬垃圾日積月累，就這麼造就了「黑色河流」。

八〇年代政府開始正視汙染問題，九〇年代開始拆除非法酸洗熔煉業，歷經三十年的整治，二仁溪的嚴重污染河段已從2001年的百分之百，下降到2012年的百分之二十二。二仁溪的故事銘印在我們心上，提醒著不要再犯相同的錯，青山常在、綠水長流，從不只指美麗的景觀，更允諾了人們可安身立命的家園。

鳥目台灣

幕後

齊柏林談鳥目台灣

TAIWAN FROM THE AIR

Q：請問如何設想出《鳥目台灣》的主題？

齊：我們首先為整個企劃定調，決定方向，接下來最重要的部分，是釐清這些主題必須符合空拍條件，若這個主題用空拍可以遠勝過其他紀錄方式，更是優先考慮的對象。就《鳥目台灣》而言，主題設定在人文和環境，我們先把大項目確定下來，然後勾定子題。這次與劉克襄老師合作，所以我們思考內容時，也會搭配劉老師的構想來篩選。一開始共列出四十個主題，然後採刪去法，最後收入二十四個。

Q：從企劃的構想，到後來的執行，有沒有差異呢？

齊：我們很重視人文方面的題材，希望能作更多表現，一方面是因為之前少有這方面的嘗試，另一方面也想藉這個機會，用影像來引導讀者對台灣的人文題材有更多不同角度的觀點與想法。

可是用空拍呈現人文題目有一定的困難度，或者應該說，空拍不一定是呈現這些主題的最好方式。舉例來說，我們想過空拍「市場」，事實上也實際試拍過了。可是影像裡只有連綿的棚架和頂棚，看不出市場在日常生活中那種生猛和活力；另外，綠建築也比想像中難拍，主要原因是很難呈現綠建築的細部內涵，而且拍攝單一建築，可能受限於地理位置而不利飛行，像這主題本來要拍那瑪夏鄉的民權國小，可是山裡面天氣不好，試了幾次，還是很難飛進去；又比如桐花主題，今年四、五月，天氣狀況不算很好，桐花花期短，又得找大片桐花拍起來才漂亮，可是桐花多的地方卻老遇不到適合的天氣，是個很折騰的一個經驗；而其中的九份和老車站主題，結合了空拍和地面拍攝，營造出能夠自己說故事的影像，又比原先預料的更有感染力。

Q：空拍最常面臨到技術上的困難？

齊：空拍最常遇到天候因素的困難。有時出發當下萬里無雲，可到了拍攝地點，卻剛好被雲遮住。另外，能見度是空拍好壞的重點，卻非常難以掌控。天氣好壞和能見度高低不一定完全相關，氣象預報也無法提供能見度的預測。遇到能見度差的時候，完全沒辦法工作；另外，風大也是一種棘手情況。風太大，就比較難操作攝影的搖桿，飛行員也更難駕駛，會讓飛行更顛簸。

每架飛機通常配備一組固定機員，每位飛行員對攝影飛行員的認知和技術不同。為了達到空拍工作的最理想狀態，我和飛行員之間必須有默契。默契不好時，只能多試多飛，但這麼做很耗用預算。我們每次飛行的合作對象都不同，而不同飛行員對空拍有不同理解，也有各自的飛行習慣或偏好招式（每個人「飛過」同樣環境的方式不一樣）。我必須引導飛行員抓到我想要的位置、高度和路徑，才能得到好畫面。可是在天上一邊拍、一邊引導、一邊還要看路徑，常常分身乏術。有一次拍

瀑布，飛了四、五次，就是沒能達到最好的位置，最後只好放棄。飛行時的地形、飛機性能、飛行進入與脫離的路徑，都是影響最後成果的要素。

Q：有沒有遇到麻煩的特殊經驗？

齊：讀者比較無法想像的情況比方是，空拍經常碰到飛航管制。台灣空域比較小，飛航管制很常見。台灣西半部空域繁忙，台北、桃園、新竹、台中、嘉義、台南、高雄和屏東都是機場，軍用噴射機只花三分鐘就能飛到你旁邊。當你從台中飛往高雄、嘉義，要進入該地區上空時，航管這時才說有飛航管制，你可能就得繞道，有時甚至根本不能進去。無奈的是，有時遇到難得適合空拍的好天氣，卻碰上軍事演習、軍事訓練，又能怎麼辦呢？也只能等了，也許在附近繞繞、捕捉一些畫面。好不容易等到管制結束，再飛過去時，天氣可能已經變得不適合，原本計畫要拍的又拍不到了。

其實空拍的快樂，要下了飛機之後才開始。空拍的壓力很大，要考慮太多事情，飛行時既想把片子拍好，又要控制飛行時數、不要讓預算超支、等雲散開、等大船入港等等，各種等待與錯過，其間穿插各種莫非定律。而這些辛苦，倒也在回到工作室，看到拍攝完成的畫面時感到釋懷了。

Q：這些年，你從空拍角度看台灣，過去和現在的台灣地貌有沒有不同呢？

齊：非常不一樣，變化很大。以城市來說，都會區擴張最明顯。以前能看到整片綠色的山坡地，現在冒出了很多房子。而大型公共建設和工程，也讓自然地景持續遞減。至於東部，雖然不像西部都會區新增了很多房子，但還是有明顯的變化。比如台東海岸線，因為南迴鐵路和公路的沿岸滿布削波塊，造成台灣臨太平洋的景觀在視覺上有許多干擾。還有，花東縱谷中有很多砂石場，開採出來但還沒或沒辦法用完的砂石就這麼堆放著，以空拍的角度來看，都在翠綠的山谷中顯得突兀。

Q：二十四支短片中，對哪支有特別的感覺或想法呢？

齊：我很重視自己工作的品質與呈現，要過得了自己這關才會成為作品，所以可以說多半是滿意的作品。若要在這次的作品中挑一個，我覺得高雄市看起來超乎想像的出色，應該是因為高雄市得天獨厚的環境，建築和環境間的對應也很漂亮。

空拍短片這個方式能採集到很多過去看不見、不曾看到的畫面。但第一次從空中看到、拍下的畫面，常讓心裡有雙重感受。比如從空拍角度看魚塭，攝影構圖非常漂亮，那種純粹的美感很令人感動。可同一時刻，你心裡又明白，這眼前的大量漁塭，可是造成了地層下陷的主因啊！所以拍攝時，心裡存在很多矛盾。拍漁塭的影像絕對有震撼力，我以前拍魚塭的攝影作品也得過獎，可另一方面，這樣的美麗，其實醞釀、透露了生態的破壞，再一方面，那又是一大群人謀生、撫養家庭的工具。

Q：哪個主題是你或台灣一般民眾抱有既定印象，可是經由空拍角度，才發現有所不同的結果？

齊：有，比如阿塱壹古道就是最好的例子。我之前也沒想過阿朗壹古道竟然那麼美。大家一開始對這裡的印象，大概多來自開發爭議時新聞媒體的報導，因為政府要開闢公路，環保團體極力反對，而形成了討論焦點。我自己也是透過這個事件才知道阿塱壹，也可以說原本是要從這樣的角度去紀錄這個地點。

可是當我飛到那裡，從天上看下去，眼中所見是一片海水與綠的完美融合，非常漂亮。換句話說，在這之前，好像有一種感覺是，基於環保之類的理由要保存這個地方，可是當親眼見到這份古樸卻壯麗的原始自然之美，你真的會有直接的使命感。

剛才我們講到空拍角度看東部海岸線，跟台東、花蓮海岸公路段落比起來，有公路和沒公路的海岸景觀，真的截然不同。阿塱壹古道絕對是令我非常驚豔、也有不同認識的飛行旅程。

城市部分則空拍了台北和高雄，發現台灣的城市實在很擁擠。台北市有一點先天不良的感覺，都市計畫做得不太好，看下去滿是密密麻麻的房

子，加上鐵皮屋頂，要拍得漂亮很困難。不過這時自己在拍攝中尋找趣味，例如違章建築屋頂乍看很大片、很雜亂，但如果從中找到有趣的構圖，還能有五顏六色的呈現，也是另一種滿有趣的視覺感受。

Q：空拍照片和台灣環保議題逐漸有了密切的關係，你有什麼想法呢？

齊：我可以說是從空拍後才開始認識台灣。以前沒有衛星影象和GPS，每次拍回來都不了解那些地方，只好自己做研究。慢慢地，認識、瞭解了台灣更多地方，開始想飛沒飛過的地方。台灣的美，通常展現在人煙稀少的地方。開始空拍時，我對環境保護的議題一無所知，那時在雜誌上發表照片，編輯有時將我的照片搭配某位教授的文章。讀了那些文章，才發現他們的觀點和我不同，就會想去深入思考和研究；例如山坡地上的整片檳榔，以前認為視覺上很特別，以及知道檳榔農抱持著「人定勝天」的想法在大自然中硬是種植整片檳榔，後來才懂得反省檳榔對水土保持的傷害；又比如清境農場，印象中那裡的房子蓋得很有特色，風景也漂亮，一切都很美好。可是從空拍角度去看清境，只看見癩痢頭似的千瘡百孔，真的會讓人有很多反省。

鳥目台灣

齊柏林空拍紀錄 攝影文集

國家圖書館出版品預行編目(CIP)資料

鳥目臺灣攝影文集 / ; 齊柏林攝影. 劉克襄文字
-- 初版. -- 臺北市 : 行人文化實驗室, 2013.08
128面 ; 15 X 14公分
ISBN 978-986-89652-3-2(平裝)

1.臺灣地理 2.人文景觀 3.攝影集

733.3 102013349

作者 齊柏林攝影，劉克襄文字
總編輯 周易正
執行編輯 林芳如
文字撰稿 Anderson（「細説」專題）
美術設計 林秦華
行銷業務 李玉華、陳人和、蔡晴
印刷 崎威彩藝

ISBN 978-986-89652-3-2
2013年12月 初版十二刷

出版者 行人文化實驗室（行人股份有限公司）
發行人 廖美立
地址 10049台北市北平東路20號10樓
電話 (02) 2395-8665
傳真 (02) 2395-8579
郵政劃撥 50137426 http://flaneur.tw
總經銷 大和書報圖書股份有限公司
電話 (02) 8990-2588

tai 台灣阿布電影股份有限公司

行人文化實驗室